P9-EMM-395

La Terre paternelle

Patrice Lacombe

La Terre paternelle

Introduction
d'André Vanasse

BIBLIOTHÈQUE QUÉBÉCOISE

Bibliothèque québécoise inc. est une société d'édition administrée conjointement par la Corporation des Éditions Fides, les Éditions Hurtubise HMH ltée et Leméac éditeur.

Données de catalogage avant publication (Canada)
Patrice Lacombe
La Terre paternelle
(Littérature)
Le texte de cette édition reproduit celui du *Répertoire National* paru en 1850.
Éd. originale : Montréal : Hurtubise HMH, 1972,
Publ. à l'origine dans la coll.: Les Cahiers du Québec. Textes et documents littéraires.
Comprend des réf. bibliogr.
ISBN 2-89406-063-7
I. Titre. II. Collection : Littérature (BQ).
PS8423.A25T4 1993 C843'.3 C93-096468-3
PS9423.A24T4 1993
PQ3919.L32T4 1993

Mise en pages : Mégatexte
Couverture : Évelyne Butt

DÉPÔT LÉGAL : 2e trimestre 1993
BIBLIOTHÈQUE NATIONALE DU CANADA
BIBLIOTHÈQUE NATIONALE DU QUÉBEC
ISBN : 2-89406-063-7

Imprimé au Canada

Introduction

La critique littéraire se montre très peu loquace à l'égard de Patrice Lacombe. Nos historiens de la littérature, les seuls qui aient porté attention à cet auteur, se contentent de quelques lignes à son sujet. La date de sa naissance, celle de sa mort, voilà ce à quoi se réduit sa biographie. D'ailleurs, si Baillargeon, de Grandpré et Viatte l'ont inclus dans leur « histoire », des auteurs comme Mgr Roy, Halden ou Tougas l'ont totalement ignoré.

Inutile de préciser que nous n'avons que très peu de détails sur la vie de Patrice Lacombe. D'autant que la plupart des articles de journaux que nous avons consultés à son sujet reproduisent le texte publié à sa mort, survenue le 6 juillet 1863. Ainsi en est-il pour la colonne nécrologique publiée dans *La Minerve,* livraison du 7 juillet 1863, pour celle du *Journal de Québec* du 9 juillet de la même année, pour *Le Répertoire National* qui, dans sa deuxième édition (celle de 1893), reprend presque mot à mot le même texte en guise de notice biographique.

Ce texte, modèle du genre s'il faut se fier à la fortune qu'il a connue, se lit comme suit :

> *M. Lacombe a été plus de trente ans attaché au Séminaire de Montréal et a rendu comme homme*

d'affaires d'importants services à cette institution. Ses talents, son intégrité, son affabilité l'ont fait respecter de tous ceux qui le connaissaient. Dans l'emploi important qu'il remplissait, il s'était acquis dans toutes les classes de la société de nombreuses sympathies. Doué d'une brillante inspiration, il cultivait les lettres avec succès et il est à regretter que sa modestie d'une part et ses occupations de l'autre ne lui aient pas permis de publier de plus nombreux écrits. La Terre paternelle, reproduite dans Le Répertoire National, a été appréciée par plusieurs de nos littérateurs et donne la mesure d'un talent original et facile[1].

Ces renseignements sont minces, mais en y ajoutant ceux publiés par G.-A. Dumond dans *Le Monde illustré canadien* et en glanant ici et là certains éléments inédits, on peut tout de même se faire une assez juste idée de cet effacé notaire.

Joseph-Patrice Truillier-Lacombe est né au lac des Deux Montagnes, le 20 février 1807. Il était le fils de François-Xavier Truillier-Lacombe, qui avait vu le jour à Montréal, le 19 juin 1747. Ce dernier était marchand au lac des Deux Montagnes où il jouissait d'une haute considération tant auprès des Indiens que des autorités locales ou ecclésiastiques. À quarante-six ans, c'est-à-dire le 27 octobre 1793, il épousait, à Montréal, Marie-Geneviève Adhémar de Lantanac.

Patrice Lacombe eut donc pour père un homme âgé de plus de soixante ans. Il nous est difficile de savoir si cette situation peu commune a eu, sur le jeune enfant, une influence quelconque. Une chose est certaine : adulte, il eut une existence morne et sèche. Tous les documents que nous avons consultés confirment cette impression. Timide, ponctuel, réservé, honnête, voilà le portrait-robot de Patrice Lacombe. D'ailleurs, G.-A. Dumond, qui veut sortir des sentiers battus dans son étude généalogique, ne peut trouver mieux que de répéter en d'autres mots ce que l'on a déjà dit sur le romancier :

> *M. Lacombe se fit remarquer par la droiture de sa vie, par son honorabilité et par la protection qu'il accorda toujours, dans les limites de sa sphère, aux lettres canadiennes*[2].

Mais il serait difficile de décrire autrement Patrice Lacombe. Homme sans audace et sans doute un peu réactionnaire, il apparaît beaucoup plus comme un efficace «collet blanc» que comme un bouillant littérateur. Tout chez lui prêche pour l'effacement. Reçu notaire le 31 décembre 1830, il tâtonne pendant deux ans avant de trouver sa place chez les sulpiciens. Mais de 1833 jusqu'à sa mort, c'est-à-dire pendant trente ans, Patrice Lacombe restera fidèle à ses employeurs.

Infiniment apprécié de ses supérieurs, il était en quelque sorte leur homme de confiance. L'ayant affecté à la procure du séminaire de Saint-Sulpice de Montréal, les sulpiciens étaient assurés qu'il n'y aurait pas, avec lui, de détournements de fonds. Responsable, ennemi des coups risqués, sans doute est-ce pour cette raison que le notaire Lacombe a préféré choisir une veuve pour épouse plutôt qu'une pimpante jeune fille de l'époque. Effectivement, Patrice Lacombe épousa, à Maskinongé, le 7 janvier 1835, Mme veuve Nelson, née Léocadie Boucher. Le couple n'eut pas d'enfants.

On comprend aisément que ce notaire n'allait sûrement pas donner dans les goûts du jour en publiant *La Terre paternelle*. Au contraire, il récuse avec vigueur le romantisme de l'époque :

> *Quelques-uns de nos lecteurs auraient peut-être désiré que nous eussions donné un dénouement tragique à notre histoire ; ils auraient aimé à voir nos acteurs disparaître violemment de la scène, les*

uns après les autres, et notre récit se terminer dans le genre terrible, comme un grand nombre de romans du jour. Mais nous les prions de remarquer que nous écrivons dans un pays où les mœurs en général sont pures et simples, et que l'esquisse que nous avons essayé d'en faire, eût été invraisemblable et même souverainement ridicule, si elle se fût terminée par des meurtres, des empoisonnements et des suicides. Laissons aux vieux pays, que la civilisation a gâtés, leurs romans ensanglantés, peignons l'enfant du sol, tel qu'il est, religieux, honnête, paisible de mœurs et de caractère, jouissant de l'aisance et de la fortune, sans orgueil et sans ostentation, supportant avec résignation et patience les plus grandes adversités.

Que signifie cette prise de position qui prend l'allure d'un manifeste? Pour avoir une plus juste idée des intentions de Patrice Lacombe, il nous paraît nécessaire de faire un rapide bilan de la situation littéraire de son époque.

Si l'auteur s'en prend si passionnément aux romans «ensanglantés» importés des «vieux pays», c'est qu'effectivement la littérature française de l'époque a pénétré au Bas-Canada. Elle y est parvenue d'abord par l'intermédiaire des journaux. À ce sujet, il est intéressant de noter le nombre incroyable de journaux qui ont vu le jour entre 1806 et 1850[3]. Cette surproduction manifeste un éveil national contrastant singulièrement avec l'apathie des quarante premières années qui ont suivi la Conquête. D'ailleurs, la fondation du journal *Le Canadien*, en 1806, était essentiellement un geste politique. Le journal voulait défendre les intérêts des Canadiens français et faire la lutte au *Montreal Gazette* et au *Quebec Mercury*, créés dans le seul but de faire «respecter» les droits de tous les Anglo-Saxons.

Heureuse initiative puisque soixante-sept autres journaux allaient par la suite voir le jour jusqu'en 1850. Ils ne poursuivaient pas tous le même but que *Le Canadien* et presque tous, d'ailleurs, connurent une carrière éphémère, mais ils eurent malgré tout cet effet bénéfique de provoquer l'éveil d'une conscience nationale et de favoriser en même temps un intérêt pour les lettres.

La production littéraire québécoise étant fort mince, on dut emprunter aux sources françaises. Si Voltaire, comme on le sait, fut hautement favorisé, il ne fut pas le seul et, progressivement, le Bas-Canada renouait, par le biais de la culture, des liens spirituels avec la France :

> *Cependant des Canadiens vont en France et des Français viennent au Canada. C'est ainsi que très tôt parviennent chez nous les accents d'une résonance toute nouvelle. Le souffle de la révolution a traversé les mers. Dès 1830, la poésie montre des signes non équivoques de renouvellement. La liberté, les pleurs, l'ennui, la solitude, la nature, la nuit, l'amour, la tristesse chassent, dans nos poèmes, les dieux de l'Olympe*[4].

Ainsi, à partir de 1830, le mouvement était irréversible. À la poésie de Voltaire, aux écrits de Chateaubriand venaient s'ajouter les productions de Balzac, Hugo, Sue, Dumas père et nombre d'autres. C'est grâce à cette importation massive que le roman québécois allait naître.

Pourtant, dès le début, deux courants se dessinent : Philippe Aubert de Gaspé fils, avec *Le Chercheur de trésor* ou *L'Influence d'un livre*[5] et Joseph Doutre avec *Les Fiancés de 1812*[6] affirment une allégeance inconditionnelle aux romanciers français. La préface de De Gaspé est, d'une certaine façon, une copie de la *Préface de Cromwell*. *Charles Guérin*[7] de P.-J.-O. Chauveau et

La Terre paternelle de Patrice Lacombe se veulent, au contraire, imperméables à l'influence française et nettement «nationalistes».

Dans cette perspective, il n'est pas inutile de citer un extrait de la préface de G.-H. Cherrier au *Charles Guérin* de Chauveau, car celle-ci offre d'évidentes ressemblances avec le texte déjà cité de Lacombe :

> *Ceux qui cherchent dans Charles Guérin un de ces drames pantelans (sic), comme Eugène Sue et Frédéric Soulié en ont écrits seront bien complètement désappointés. C'est simplement l'histoire d'une famille canadienne contemporaine que l'auteur s'est efforcé d'écrire, prenant pour point de départ un principe tout opposé à celui qu'on s'était mis en tête de faire prévaloir il y a quelques années : le beau c'est le laid. C'est à peine s'il y a une intrigue d'amour; pour bien dire, le fond du roman semblera, à bien des gens, un prétexte pour quelques peintures de mœurs et quelques dissertations politiques et philosophiques. De cela cependant il ne faudra peut-être pas autant blâmer l'auteur que nos Canadiens qui tuent ou empoisonnent assez rarement leur femme, ou le mari de quelque autre femme, qui se suicident le moins qu'ils peuvent et qui en général vivent, depuis deux ou trois générations, une vie assez paisible et dénuée d'aventures, auprès de l'église de leur paroisse, au bord du grand fleuve ou de quelqu'un de ses nombreux et pittoresques tributaires*[8].

Dans les textes de Cherrier et de Lacombe, il y a reprise du même thème. Dans les deux cas, on oppose des goûts littéraires incompatibles avec les mœurs d'une certaine société. Le rejet du roman «importé» tient donc essentiellement à des raisons morales. Il camoufle cependant une condamnation de la France qui permet son existence et sa diffusion.

Ce jugement, dans son ambiguïté même, trahit l'enjeu politique de l'époque. Quand Cherrier et Lacombe refusent le romantisme français, ils refusent du même coup la France et jouent, consciemment ou non, la carte de la classe dominante.

L'éveil national aurait fort bien pu prendre une autre direction que celle que nous lui connaissons. La rébellion de 1837-1838 le montre bien, elle qui se calquait sur la Révolution française et celle des États-Unis. Mais l'échec des Patriotes, favorisé par le haut clergé qui craignait, en accréditant la rébellion, de perdre ses fidèles, n'eut pas de suite.

Il en est de même dans le domaine littéraire. Malgré les soubresauts de l'Institut canadien de Montréal, les dés étaient inexorablement jetés : le clergé avait reconquis ses terres.

La littérature inaugurée par Lacombe et par Chauveau prendra progressivement le pas sur celle des De Gaspé et Doutre. Le roman d'imagination n'aura dorénavant qu'une existence marginale par rapport à celui qui se voudra une description honnête et juste de nos mœurs canadiennes.

Il ne s'agit pas de dénigrer le travail de Lacombe et de Chauveau, mais bien plutôt de les situer dans une perspective historique. D'une certaine façon, *Charles Guérin* et surtout *La Terre paternelle* sont infiniment plus nationalistes que *Le Chercheur de trésor* ou *Les Fiancés de 1812*, mais le cadre est plus rigide, les perspectives moins larges, l'enthousiasme moins frénétique. On supporte, comme le proposait Lacombe lui-même, «avec résignation et patience les plus grandes adversités».

La Terre paternelle, c'est donc le refus des situations rocambolesques, des aventures extraordinaires, des bouleversements invraisemblables. Le roman se présente au contraire comme un récit des plus simples. Jean-Baptiste Chauvin vit en toute quiétude sur sa ferme, propriété des Chauvin depuis 1670, avec sa femme et ses trois enfants. Charles, le cadet, décide un jour, au désespoir de la famille, de quitter la ferme pour s'engager dans la Compagnie du Nord-Ouest. Le père, devinant que les mêmes idées assaillent son fils aîné, décide, d'un commun accord avec sa femme, de «se donner» à son fils moyennant certaines rétributions. Le marché est conclu, mais très tôt la mésentente survient. Le fils, inexpérimenté et imprévoyant, s'acquitte mal de sa tâche et de ses devoirs envers son père. La terre est finalement reprise par le père, mais lui-même, habitué à sa vie de rentier, décide plutôt de «risquer les profits toujours certains de l'agriculture contre les chances incertaines du commerce».

Ainsi, après une période de prospérité, le père, mauvais commerçant, se retrouve ruiné et réduit, avec son fils, à l'humiliante condition de porteur d'eau. Condition telle qu'elle entraîne bientôt la mort de son fils aîné.

La situation serait désespérée si Charles, le cadet, ne revenait pas pour tout remettre en ordre : il rachète la terre paternelle, rétablit le bonheur au sein de la famille et le tout se termine par son mariage et celui de sa sœur Marguerite.

Plusieurs n'auront pas manqué, à la lecture de ce résumé, d'établir un rapprochement avec *Charles Guérin*. Et il est vrai en effet que ce roman offre maintes analogies avec *La Terre paternelle*. Là aussi il s'agit d'une terre perdue aux mains des Anglais; là aussi la perte est attribuable aux idées de grandeur de Charles Guérin (il a fait des emprunts, tout comme Jean-Baptiste Chauvin, qui seront la cause de sa ruine); là aussi la famille ruinée devra s'exiler à la ville pour y connaître la misère et subir, de plus, la terrible épidémie de choléra; là aussi, grâce à un événement assez peu vraisemblable, Charles Guérin, héritant du tiers de la fortune de Me Dumont, pourra reconquérir le «bien» perdu et devenir finalement un intrépide colonisateur; là aussi le tout se termine par le mariage de Charles et celui de sa sœur.

Il y a donc, à n'en pas douter, identité de structures, mais le ton et l'ambiance diffèrent cependant beaucoup.

En fait *Charles Guérin* ne possède pas cette rigidité, caractéristique du roman de Patrice Lacombe. On y sent des relents de romantisme (malgré les affirmations contraires de Cherrier) qui sont loin d'être étouffés. Ainsi Pierre, le frère de Charles, par son inadaptation sociale, ses idées de grandeur, sa tristesse, ses aventures multiples en Europe, sa vocation soudaine, son retour inattendu à Québec (au moment même où sévit l'épidémie de choléra), illustre parfaitement bien le romantisme de l'époque. On trouve aussi une influence balzacienne indéniable dans l'organisation de ce roman.

Mais il y a plus. Chauveau dans son roman n'a pas cru bon d'instaurer entre les deux races cet abîme infranchissable qui sera la marque du roman de Lacombe. Dans *Charles Guérin,* la situation sociale des personnages est extrêmement floue. Si M. Wagnaër, le terrible Anglais, l'usurier, le fourbe, apparaît comme un détestable personnage, il n'appartient pas malgré tout de plain-pied à la race de ceux que Louis Hémon appellera «les étrangers », c'est-à-dire les anglo-protestants, qui se sont emparés de « nos » terres. M. Wagnaër est un récent immigré de Guernay et, sans être lui-même catholique, il n'en est pas moins favorable à cette religion puisque sa femme est morte catholique et qu'il élève, à la demande même de son épouse, sa fille selon les rites de l'Église romaine.

D'autre part, dans ses tractations commerciales, M. Wagnaër est uniquement secondé par des francophones (lesquels, il est bon de le noter, n'apparaissent pas aux yeux du romancier comme des lâches et des traîtres, à l'instar du Délié dans *Menaud maître-draveur*, mais tout simplement comme des personnages rusés et malhonnêtes).

Cette ambiguïté est d'autant plus prononcée dans le roman que Clorinde, la fille de M. Wagnaër, joue un rôle opposé à celui que joue son père : amie de la famille Guérin, éperdument amoureuse de Charles, elle condamnera les agissements de son père et de ses complices et décidera de « prendre le voile » plutôt que d'épouser l'ambitieux Henri Voisin.

Malgré plusieurs affirmations du contraire, le drame de Charles peut donc être d'abord perçu comme un drame financier.

Le nationalisme est secondaire dans ce roman. Charles Guérin ne préfère-t-il pas Clorinde à Marichette? M. Wagnaër n'envisage-t-il pas de marier sa fille à Henri Voisin? L'amour, doublé d'un désir d'ascension sociale dans le premier cas, l'intérêt dans l'autre, l'emportent sur toute autre considération.

Si *Charles Guérin* se présente comme un roman dont la valeur historique est incontestable, celui de *La Terre paternelle* vaut beaucoup plus par son contenu idéologique. En fait, il inaugure un genre romanesque qui, jusqu'à la parution de *Marie-Didace* en 1947, durera cent ans : le roman paysan.

Or, et c'est en cela que le roman de Patrice Lacombe paraît si intéressant : il se dessine comme la matrice du roman paysan.

Ici, contrairement à *Charles Guérin,* l'univers se circonscrit brutalement : il n'existe qu'une réalité, celle de la collectivité franco-québécoise, qu'une activité qui lui soit propre, l'agriculture, et qu'une religion qui supporte le tout : la catholique.

Telles sont essentiellement les données du roman paysan. Il est fait d'une triple affirmation et d'une somme infinie d'interdictions. Car, dès l'instant où l'un ou l'autre de ces canons n'est pas respecté, tout s'écroule.

Que *La Terre paternelle* se veuille un récit moralisateur, il n'y a pas de quoi en être étonné : tous les romans paysans, à cause même de l'idéologie qu'ils véhiculent, le sont d'une façon ou d'une autre.

Sans doute faut-il déplorer les propos un peu trop simplistes de Lacombe, par exemple ceux-ci :

> *La paix, l'union, l'abondance régnaient donc dans cette famille; aucun souci ne venait en altérer le bonheur. Contents de cultiver en paix le champ que leurs ancêtres avaient arrosé de leurs sueurs, ils coulaient des jours tranquilles et sereins. Heureux, oh! trop heureux les habitants des campagnes, s'ils connaissaient leur bonheur!*

Mais on peut se demander honnêtement en quoi ces propos diffèrent de ceux tenus par les Nantel, Rivard ou Potvin. Il suffit d'ailleurs de les comparer pour en être convaincu :

> *Rien n'est meilleur que l'agriculture, rien n'est plus beau, rien n'est plus digne d'un homme libre.*

Elle suffit amplement aux besoins de notre vie. Toutes les autres professions, mes enfants (sic), ne sont que secondaires, l'homme n'en aurait pas besoin s'il était toujours resté simple dans ses goûts, modéré dans ses habitudes, sage, juste et en paix avec lui-même[9].

Cette vérité de la «survie» est exprimée non seulement par ces piètres romanciers, mais aussi par ceux que l'on considère comme les meilleurs représentants du roman paysan : les «voix» qu'entend Maria *(Maria Chapdelaine)* ou le délire de Menaud *(Menaud, maître-draveur)* ne sont en définitive que la reprise, mais esthétiquement plus acceptable, d'un même discours inauguré par Patrice Lacombe.

Roman à thèse, le roman paysan ne peut structurer sa problématique que sur un «ailleurs». En affirmant que le bonheur ne doit exister que là où l'on trouvera une charrue ou un bœuf, il s'oblige du même coup (les lois du roman l'exigent !) à prouver que celui qui cherchera ailleurs n'y pourra trouver que sa déchéance.

Dans cette perspective, il y a dans le roman paysan deux fausses portes de sortie. L'une s'ouvre sur la forêt, l'autre sur la ville.

La forêt tue. C'est le cas, par exemple, pour François Paradis, le fiancé de Maria, ou pour Menaud qui, sans mourir, perd cependant la raison après sa folle équipée. La ville, elle, rapetisse l'existence, vous prend dans ses griffes et vous laisse mourir à petit feu.

Or ici encore, Patrice Lacombe se fait l'initiateur du genre. Le trajet de la famille Chauvin (départ de la terre paternelle — bonheur éphémère — déchéance) ressemble point par point, dans sa structure, à celui d'Azarius Lacasse dans *Bonheur d'occasion* ou encore à celui d'Éphrem Moisan dans *Trente Arpents*.

«L'inconnu magique de la ville», selon l'expression de Louis Hémon, livre toujours son vrai visage. La ville est pour tous ces romanciers hideuse et détestable.

À ce sujet, certains s'étonneront peut-être des propos anticléricaux de Patrice Lacombe. Nous faisons allusion ici au passage concernant le service funèbre de Joseph, le fils aîné de la famille Chauvin :

> *— Quand sonnerez-vous les glas de mon fils? demande le père.*
>
> *— Tout de suite, si vous voulez: combien de cloches?*
>
> *Puis avec la volubilité d'un homme qui sait son tarif par cœur: une cloche, c'est dix piastres; deux cloches, c'est vingt piastres; trois cloches, c'est trente piastres; quatre cloches, c'est...*
>
> *— Ah! mon cher monsieur, interrompit Chauvin, je suis bien pauvre : je ne pourrai jamais vous payer des sommes comme cela.*
>
> *— Quoi! pas seulement une cloche? Mais il faut au moins payer pour une cloche, si vous voulez avoir un service; autrement vous n'en aurez pas, et on portera votre fils au cimetière tout droit.*
>
> *— Serait-il possible, monsieur? Quoi! mon pauvre enfant n'entrerait donc pas à l'église!*
>
> *[...]*
>
> *— Que voulez-vous que j'y fasse : c'est la règle.*

De la part de Patrice Lacombe, ces remarques paraissent presque invraisemblables. Si elles sont dites, c'est que l'auteur veut sciemment établir une nette distinction entre «l'église de la ville» et «l'église de la campagne». D'un côté, le mercantilisme, de l'autre, le respect des valeurs chrétiennes. En somme, la ville tue toutes choses, même les valeurs religieuses.

Or, phénomène intéressant, on retrouve le même genre de réflexions chez Ringuet. À White Falls, chez son fils Éphrem, Euchariste ne constate-t-il pas une énorme différence entre les coutumes de son «pays» et celles de cette ville étrangère ?

> *Car c'est en vain qu'il avait cherché au mur de la maison de son fils une seule des images dévotieuses qui fleurissent les foyers du Québec. Rien. Si bien qu'il en était venu à se demander si son fils n'avait pas commis la suprême infamie d'apostasier. Dame!... n'avait-il pas épousé une «Anglaise» et qui dit «Anglaise», dit protestante et païenne*[10].

D'autre part, l'aventure de Charles avec la Compagnie du Nord-Ouest trouve une heureuse fin. Celui-ci, on le sait, revient brusquement au foyer paternel après quinze ans de vagabondage pour sauver sa famille d'une situation désespérée.

Est-il nécessaire de préciser que ce retour est pour le moins invraisemblable ? Il répond d'abord à des impératifs romanesques, car tout nous laissait croire que Charles était parti à tout jamais. Le désespoir de la famille Chauvin ne laissait aucun doute à ce sujet.

Ce qui surtout nous laisse perplexe, c'est l'attitude de Charles. Après avoir vécu comme un parfait nomade, il redevient soudainement un sédentaire modèle. Il y a là une contradiction d'autant plus flagrante que Patrice Lacombe avait bien pris soin de nous décrire la triste destinée de ces «engagés du grand portage» :

> *Après avoir consumé, dans des excursions lointaines, la plus belle partie de leur jeunesse, pour le misérable salaire de 600 francs par an, ils revenaient au pays épuisés, vieillis avant le temps, ne rapportant avec eux que des vices grossiers contractés dans ces pays, et incapables, pour la plupart, de cultiver la terre ou de s'adonner à quelque autre métier sédentaire profitable pour eux et utile à leurs concitoyens.*

Telle sera la définition traditionnelle du coureur des bois et il est remarquable que ce soit Patrice

Lacombe qui l'inaugure. Il aura encore là défini une des constantes de notre roman paysan.

Ainsi Charles est donc un faux nomade. Il n'appartient pas à la race des François Paradis, Tom Beaulieu (dans *La Forêt* de Georges Bugnet), Thomas Clarey (dans *Louise Genest* de Bertrand Vac), Cardinal (dans *Les jours sont longs* d'Harry Bernard).

Ceux-là, comme le signalait Lacombe, sont incapables de cultiver la terre. Nomades, ils n'entendent qu'une voix : celle de la forêt. C'est à elle qu'ils se donnent pour le meilleur ou pour le pire.

Il serait excessif de vouloir à tout prix faire de *La Terre paternelle* la «bible» du roman paysan. Car ce roman n'est, en définitive, que la première manifestation littéraire d'une idéologie qui pendant presque cent ans va dominer notre peuple.

Il faut s'étonner cependant que, malgré ses dix rééditions, il n'ait reçu qu'une discrète audience auprès de la critique.

Qu'on ne se méprenne pas ! Nous n'avons pas l'intention de tirer de l'oubli un génie injustement ignoré.

Patrice Lacombe, pionnier des lettres québécoises, n'est pas plus génial que Philippe Aubert de Gaspé fils, que Joseph Doutre ou que Pierre-Joseph-Olivier Chauveau. Mais, s'il ne l'est pas plus, il ne l'est pas moins, et l'on comprend difficilement qu'il soit le plus négligé de la première génération de nos romanciers.

Sans doute faut-il admettre que cette mince plaquette (*La Terre paternelle* totalise à peine quarante pages dans *Le Répertoire National*) fait tache au milieu d'une production romanesque inspirée par le romantisme d'outre-mer. Car, outre les auteurs déjà cités, il ne faut pas négliger les écrits et les légendes produits dans la même veine.

Cet isolement momentané peut donc expliquer le peu d'importance que nos historiens lui ont accordé, mais nous croyons que cela est regrettable parce que *La Terre paternelle* met en place, comme nous avons tenté de le démontrer, les lois essentielles du roman paysan.

De toute façon, il est instructif de constater que cette première ébauche allait connaître une longue postérité et, lisant ces lignes :

> *ce peu de paroles dévoilèrent l'affreuse vérité à Charles; il comprit tout : son père s'était ruiné, sa terre était vendue, et l'étranger était insolemment assis au foyer paternel!*

nous ne pouvons nous empêcher de songer que ces paroles trouveront, soixante-quinze ans plus tard, cet écho rageur :

> *— Autour de nous des étrangers sont venus qu'il nous plaît d'appeler les barbares; ils ont pris presque tout le pouvoir; ils ont acquis presque tout l'argent; mais au pays de Québec rien n'a changé*[11]*...*

comme nous ne pouvons nous empêcher de penser que, quatre-vingt-dix ans plus tard, un certain Menaud, égaré, délirant, se répétera avec angoisse ces mêmes paroles : «Des étrangers sont venus! Des étrangers sont venus[12]!»

Et surtout, nous ne pouvons nous empêcher de nous demander si ceux-là qui reprenaient en écho ces paroles de protestation savaient que le premier romancier à les avoir écrites était un humble notaire répondant au nom de Patrice Lacombe, qui les avait probablement rédigées entre deux fastidieuses additions.

NOTES

1. «Nécrologie» (Patrice Lacombe), *Le Journal de Québec*, vol. XXI, nº 70 (corrigé à 80), 9 juillet 1863, p. 2.
2. G.-A. Dumond, «Études historiques» (Joseph-Patrice Lacombe), *Le Monde illustré canadien*, vol. IX, 1892, p. 222.
3. Voir la liste publiée par J. Huston dans *Le Répertoire National*, Montréal, Lovell et Gibson, 1850, t. IV, p. 405.
4. Léopold Lamontagne, «Les courants idéologiques dans la littérature canadienne-française du XIXe siècle», *Littérature et société canadiennes-françaises*, Québec, PUL, 1964, p. 102.
5. L.-Philippe Aubert de Gaspé fils, *L'Influence d'un livre, roman historique*, Québec, Cowan, 1837, IV, 122 p.
6. Joseph Doutre, *Les Fiancés de 1812*, Montréal, Louis Perreault, 1844.
7. Pierre-Joseph-Olivier Chauveau, *Charles Guérin, roman de mœurs canadiennes*, Montréal, Lovell (G.-H. Cherrier, éditeur), 1853, VII, 359 p.
8. *Ibid.*, avis de l'éditeur, p. vi-vii.
9. Damase Potvin, *Restons chez nous*, Montréal, Granger, 1945, p. 19 (*n.b.* : la première édition parut en 1908).
10. Ringuet, *Trente Arpents*, Montréal, Fides, coll. «le Nénuphar», 1957, [1938], p. 266.
11. Louis Hémon, *Maria Chapdelaine*, Montréal, Fides, 1957, p. 187 (1re édition, Montréal, J.-A. Lefebvre, 1916, XIX, 243 p.)
12. F.-A. Savard, *Menaud, maître-draveur*, Montréal, Fides, 1949, p. 152. (1re édition, Québec, Garneau, 1937, VI, 265 p.)

La Terre paternelle

Chapitre premier*
Un enfant du sol

Parmi tous les sites remarquables qui se déroulent aux yeux du voyageur, lorsque, pendant la belle saison, il parcourt le côté nord de l'île de Montréal, l'endroit appelé le «Gros Sault» est celui où il s'arrête de préférence, frappé qu'il est par la fraîcheur de ses campagnes, et la vue pittoresque du paysage qui l'environne.

La branche de l'Outaouais qui, en cet endroit, prend le nom de «Rivière des Prairies» y roule ses eaux impétueuses et profondes, jusqu'au bout de l'île, où elle les réunit à celles du Saint-Laurent. Une forêt de beaux arbres respectés du temps et de la hache du cultivateur, couvre dans une grande étendue, la côte et le rivage. Quelques-uns, déracinés en partie par la force du courant, se penchent sur les eaux, et semblent se mirer dans le cristal limpide qui baigne leurs pieds. Une riche pelouse s'étend comme un beau tapis vert sous ces arbres dont la cime touffue offre une ombre impénétrable aux ardeurs du soleil.

---

* Cette édition respecte la ponctuation et le texte de l'édition de 1846 (*N.d.É.*).

L'industrie a su autrefois tirer parti du cours rapide de cette rivière, dont les eaux alimentent encore aujourd'hui deux moulins, l'un sur l'île de Montréal, appelé «Moulin du Gros Sault» et naguère la propriété de nos seigneurs; et l'autre, presque en face, sur l'île Jésus, appelé «Moulin du Crochet» appartenant à MM. du séminaire de Québec.

Le bourdonnement sourd et majestueux des eaux; l'apparition inattendue d'un large radeau chargé de bois entraîné avec rapidité, au milieu des cris de joie des hardis conducteurs; les habitations des cultivateurs situées sur les deux rives opposées, à des intervalles presque réguliers, et qui se détachent agréablement sur le vert sombre des arbres qui les environnent, forment le coup d'œil le plus satisfaisant pour le spectateur.

Ce lieu charmant ne pouvait manquer d'attirer l'attention des amateurs de la belle nature; aussi, chaque année, pendant la chaude saison, est-il le rendez-vous d'un grand nombre d'habitants de Montréal, qui viennent s'y délasser, pendant quelques heures, des fatigues de la semaine, et échanger l'atmosphère lourde et brûlante de la ville, contre l'air pur et frais qu'on y respire.

Parmi toutes les habitations des cultivateurs qui bordent l'île de Montréal, en cet endroit, une se fait remarquer par son bon état de culture, la propreté et la belle tenue de la maison et des divers bâtiments qui la composent.

La famille qui était propriétaire de cette terre, il y a quelques années, appartenait à une des plus anciennes du pays. Jean Chauvin, sergent dans un des premiers régiments français envoyés en ce pays, après avoir obtenu son congé, en avait été le premier concessionnaire, le 20 février, 1670, comme on peut le constater par le terrier des seigneurs; puis il l'avait léguée à son fils

Léonard; des mains de celui-ci, elle était passée par héritage à Gabriel Chauvin; puis à François, son fils. Enfin, Jean-Baptiste Chauvin, au temps où commence notre histoire, en était propriétaire comme héritier de son père François, mort depuis peu de temps, chargé de travaux et d'années. Chauvin aimait souvent à rappeler cette succession non interrompue de ses ancêtres, dont il s'enorgueillissait à juste titre, et qui comptait pour lui comme autant de quartiers de noblesse. Il avait épousé la fille d'un cultivateur des environs. De cette union, il avait eu trois enfants, deux garçons et une fille. L'aîné portait le nom de son père; le cadet s'appelait Charles, et la fille, Marguerite. Les parents, par une coupable indifférence, avaient entièrement négligé l'éducation de leurs garçons; ceux-ci n'avaient eu que les soins d'une mère tendre et vertueuse, les conseils et l'exemple d'un bon père. C'était sans doute quelque chose, beaucoup même; mais tout avait été fait pour le cœur, rien pour l'esprit. Marguerite là-dessus avait l'avantage sur ses frères. On l'avait envoyée passer quelque temps dans un pensionnat où le germe des plus heureuses dispositions s'était développé en elle; aussi c'était à elle qu'était dévolu, chaque soir, après le souper, le soin de faire la lecture en famille; les petites transactions, les états de recette et de dépense, les lettres à écrire et les réponses à faire, tout cela était de son ressort et lui passait par les mains, et elle s'en acquittait à merveille.

Cependant, malgré le défaut d'instruction des chefs de cette famille, tout n'en prospérait pas moins autour d'eux. Le bon ordre et l'aisance régnaient dans cette maison. Chaque jour, le père, au-dehors, comme la mère, à l'intérieur, montraient à leurs enfants l'exemple du travail, de l'économie et de l'industrie : et ceux-ci les secondaient de leur mieux. La terre soigneusement labourée et ensemencée s'empressait de rendre au centuple ce qu'on avait confié dans son sein. Le soin et l'engrais des troupeaux, la fabrication des diverses étoffes, et les autres produits de l'industrie, formaient l'occupation journalière de cette famille. La proximité des marchés de la ville facilitait l'exportation du surplus des produits de la ferme, et régulièrement une fois la semaine, le vendredi, une voiture chargée de toutes sortes de denrées, et conduite par la mère Chauvin, accompagnée de Marguerite, venait prendre au marché sa place accoutumée. De retour à la maison, il y avait reddition de compte en règle. Chauvin portait en recette le prix des grains, du fourrage et du bois qu'il avait vendus; la mère, de son côté, rendait compte du produit de son marché; le tout était supputé jusqu'à un sou près, et soigneusement enfermé dans un vieux coffre qui n'avait presque servi à d'autre usage pendant un temps immémorial.

Cette scrupuleuse exactitude à toujours mettre au coffre, et à n'en jamais rien retirer que pour les besoins les plus urgents de la ferme, avait eu pour résultat tout naturel, d'accroître considérablement le dépôt. Aussi le père Chauvin passait-il pour un des habitants les plus aisés des environs; et la commune renommée lui accordait volontiers plusieurs mille livres au coffre, qu'en père sage et prévoyant, il destinait à l'établissement de ses enfants.

La paix, l'union, l'abondance régnaient donc dans cette famille; aucun souci ne venait en altérer le bonheur. Contents de cultiver en paix le champ que leurs ancêtres avaient arrosé de leurs sueurs, ils coulaient des jours tranquilles et sereins. Heureux, oh! trop heureux les habitants des campagnes, s'ils connaissaient leur bonheur!

Chapitre II
L'engagement

On était au mois de février. La journée du jeudi venait de s'écouler à faire les préparatifs ordinaires pour le lendemain, jour de marché. La soirée était avancée, et l'on parlait déjà de se retirer, quand Chauvin, suivant son habitude, sortit pour examiner le temps; il entra bientôt, en prédisant à certains signes infaillibles qu'il tenait de ses ancêtres, du mauvais temps pour le lendemain. Marguerite qui comptait déjà sur le plaisir du voyage à la ville, ne partagea pas, comme on le pense bien, l'opinion de son père. Néanmoins, il fut décidé qu'en cas de mauvais temps, le jeune Charles accompagnerait sa mère. Puis chacun se retira, le père désirant n'être pas pris en défaut, et Marguerite conjurant l'orage de tous ses vœux. Cependant Chauvin avait pronostiqué juste. Pendant la première partie de la nuit, la neige tomba lentement et en larges flocons; puis le vent s'étant élevé, l'avait balayée devant lui et amoncelée en grands bancs, à une telle hauteur que les routes en étaient complètement obstruées; l'entrée même des maisons en était tellement encombrée, que le lendemain matin, Chauvin et ses garçons furent obligés de sauter par une des fenêtres de la maison, pour en déblayer les portes et pouvoir les ouvrir. L'état des chemins rendit pour un moment le voyage indécis; mais le père remarqua judicieusement que le mauvais temps empêcherait très sûrement les cultivateurs d'entreprendre le voyage de la ville; que c'était pour lui le moment de faire un effort et de profiter de l'occasion. Les deux meilleurs chevaux furent donc mis à la voiture qui se mit en route, traçant péniblement le chemin, et laissant derrière elle force cahots et ornières; les chevaux enfonçaient jusqu'au-dessus du genou; mais les courageuses bêtes s'en tirèrent bien, et le voyage s'accomplit heureusement quoique lentement. Ce que Chauvin avait prévu, était arrivé; le marché était désert; aussi, n'est pas besoin de dire avec quelle rapidité le contenu de la voiture fut enlevé, et combien la vente fut plus productive encore que de coutume. Dans le courant de la journée, le vent qui avait cessé depuis le matin, commença à souffler avec plus de violence, les traces récentes des voitures disparurent sous un épais tourbillon de neige; dès lors le retour fut regardé comme impossible. La mère Chauvin et son fils se décidèrent donc de passer la nuit à la ville, et prirent logement dans une auberge voisine.

L'auberge était en ce moment encombrée de personnes que le mauvais temps avait forcées d'y chercher un abri pour la nuit. Au fond de la salle commune, derrière le comptoir, deux jeunes garçons empressés à servir à de nombreuses pratiques des liqueurs de toutes sortes et de toutes couleurs. Les pipes étaient allumées de toutes parts et formaient un brouillard qui combattait victorieusement le jet de gaz brillant suspendu au-dessus du comptoir. Les exhalaisons qui s'échappaient des vêtements trempés de sueurs et de neige fondue, l'humidité du plancher, l'odeur du tabac et des liqueurs frelatées, un poêle double placé au milieu de la salle et chauffé à 100 degrés, tout cela pourra aider nos lecteurs à se faire une idée de l'auberge en ce moment.

Dans un coin, plusieurs jeunes gens tenaient ensemble une conversation très animée. Sans tenir aucun compte des sages directions que leur donnait l'enseigne à grandes lettres blanches qu'on lisait sur la porte d'entrée : *Divers sirops pour la tempérance,* la plupart étaient ivres, et faisaient retentir la salle de leurs cris. C'était des jeunes gens qui venaient de conclure leur engagement avec la compagnie du Nord-Ouest, pour les pays hauts, et auxquels l'agent avait donné rendez-vous dans cette auberge, pour leur en faire signer l'acte en bonne forme le lendemain, et leur donner un acompte sur leurs gages. On peut à peu près se figurer quelle était la conversation de ces jeunes gens dont plusieurs n'en étaient pas à leur premier voyage, et qui se chargeaient d'initier les novices à tous les détails de la nouvelle carrière qu'ils se disposaient à parcourir. Le récit de combats d'homme à homme, de traits de force et de hardiesse, de naufrages, de marches longues et pénibles avec toutes les horreurs du froid et de la faim, tenait l'auditoire en haleine, et lui arrachait par intervalles des exclamations de joie et d'admiration. La conversation fréquemment assaisonnée d'énergiques jurons dont nous ne blesserons pas les oreilles délicates de nos lecteurs, s'était prolongée fort avant dans la soirée, lorsque l'entrée de l'agent dans la salle vint la ralentir pour un moment; l'appel nominal qu'il fit des jeunes gens prouva quelques absents; mais sur l'assurance qu'ils lui firent que les retardataires arriveraient la nuit même, l'agent prit congé d'eux, en leur recommandant d'être ponctuels le lendemain au rendez-vous.

Charles avait été jusque-là spectateur tranquille de cette scène. Il fut à la fin reconnu par quelques-uns de ces jeunes gens, fils de cultivateurs de son endroit, et par eux présenté à la bande joyeuse. Ils lui firent alors les plus vives instances pour l'engager à se joindre à eux. Les plus forts arguments furent mis en jeu pour vaincre sa résistance. Charles continuait à se défendre de son mieux; mais les attaques redoublèrent, les sarcasmes même commençaient à pleuvoir sur lui, et portaient de terribles blessures à son amour-propre; peut-être même aurait-il succombé dans ce moment, si sa mère inquiète de le voir en si turbulente compagnie ne fût venue à son secours, et le prenant par le bras, l'entraîna loin du groupe. Le maître de l'auberge s'approchant alors des jeunes gens leur représenta que la plus grande partie de son monde était déjà couchée, et les persuada, non sans peine, d'en faire autant. Alors s'étendant, les uns sur le plancher, près du poêle, les autres sur les bancs autour de la salle, nos jeunes gens finirent par s'endormir, et l'auberge redevint silencieuse.

Il n'en fut pas ainsi de Charles. Il ne put fermer l'œil de la nuit. Les assauts qu'il avait essuyés, la conversation qu'il avait entendue, avaient fait sur sa jeune imagination des impressions profondes. Ces voyages aux pays lointains se présentaient à lui sous mille formes attrayantes. Il avait souvent entendu de vieux voyageurs raconter leurs aventures et leurs exploits avec une chaleur, une originalité caractéristique; il voyait même ces hommes entourés d'une sorte de respect que l'on est toujours prêt à accorder à ceux qui ont couru les plus grands hasards et affronté les plus grands dangers; tant il est vrai que l'on admire toujours, comme malgré soi, tout ce qui semble dépasser la mesure ordinaire des forces humaines. D'ailleurs, la passion pour ces courses aventureuses (qui heureusement s'en vont diminuant de jour en jour) était alors comme une tradition de famille, et remontait à la formation de ces diverses compagnies qui, depuis la découverte du pays, se sont partagé successivement le commerce des pelleteries. S'il est vrai que ces compagnies se sont ruinées à ce genre de commerce, il est malheureusement vrai aussi que les employés n'ont pas été plus heureux que leurs maîtres; et l'on en compte bien peu de ces derniers qui, après plusieurs années d'absence, ont pu à force d'économie, sauver du naufrage quelques épargnes péniblement amassées. Après avoir consumé dans ces excursions lointaines la plus belle partie de leur jeunesse, pour le misérable salaire de 600 francs par an, ils revenaient au pays épuisés, vieillis avant le temps, ne rapportant avec eux que des vices grossiers contractés dans ces pays, et incapables, pour la plupart, de cultiver la terre ou de s'adonner à quelque autre métier sédentaire profitable pour eux et utile à leurs concitoyens.

Charles n'était point d'âge à faire toutes ces réflexions; il n'envisageait ces voyages que sous leur côté attrayant et qui favorisait ses goûts et ses penchants; l'idée d'être enfin affranchi de l'autorité paternelle et de jouir en maître de sa pleine liberté l'entraîna à la fin; son parti fut arrêté. Restait le consentement de son père. Aussi ce ne fut pas sans laisser écouler plusieurs jours, et après beaucoup d'hésitations qu'il osa, en tremblant, lui faire part de son projet. Comme on le pense bien, le père s'indigna, gronda fortement et voulut interposer l'autorité paternelle qu'il avait maintenue avec succès jusqu'alors. La mère et Marguerite essayèrent le pouvoir des larmes : mais inutilement. On eut recours à l'intervention des amis, mais sans plus de succès. Alors le père, après avoir épuisé tous les moyens en son pouvoir pour détourner son fils de ce dessein, se vit forcé d'y consentir, et l'engagement fut conclu pour le terme de trois ans. Comme on était alors vers le milieu d'avril, et que le jour du départ était fixé pour le premier mai suivant, on s'occupa d'en faire les préparatifs.

Le jour de la séparation fut un jour de tristesse et de deuil pour cette famille. Le père et le frère comprimaient leur douleur au-dedans d'eux-mêmes. La mère et Marguerite donnaient libre cours à leurs larmes. — Pauvre enfant, lui disait sa mère, tu nous quittes, hélas ! peut-être pour ne plus nous revoir. Combien, comme toi, sont partis, et ne sont jamais revenus. Puis détachant de son cou une antique médaille portant d'un côté, pour effigie, la Vierge et l'enfant Jésus, de l'autre sainte Anne, patronne des voyageurs, elle la passe au cou de son fils, en lui disant : — Tiens, mon fils, porte toujours sur toi cette médaille ; chaque fois que tu la sentiras battre sur ton cœur, pense à Dieu ; ne la quitte jamais : me le promets-tu ? Le jeune homme ne répondit que par des sanglots. Il tombe à genoux, reçoit la bénédiction et les derniers embrassements de son père et de sa mère, prend ses hardes soigneusement empaquetées par Marguerite, les suspend à un bâton, et chargeant le tout sur ses épaules, il sort de la maison paternelle accompagné de son père, de son frère et de quelques voisins, leurs amis, qui le reconduisirent à quelque distance ; puis il continua seul sa route, non sans jeter de temps en temps quelques regards en arrière sur les lieux de son enfance qu'il n'espérait plus revoir de longtemps.

Il était déjà bien loin, lorsqu'un léger bruit le fit regarder en arrière : c'était le chien de la maison. L'intelligent animal avait vu son jeune maître s'éloigner sous des circonstances extraordinaires, et il s'était de son chef constitué son compagnon de voyage et son défenseur. — Comment, c'est toi, Mordfort, — pauvre chien ! — Après avoir rendu les caresses à cet ami fidèle, il voulut lui faire rebrousser chemin ; mais le chien s'obstinant à le suivre, Charles prit une pierre pour l'effrayer, et après l'en avoir menacé longtemps, il la lui lança ; malheureusement le coup fut trop bien dirigé ; la pierre alla frapper à la patte le pauvre animal, qui s'enfuit en boitant et en jetant un cri de douleur, et tournant sur son maître un regard qui semblait lui reprocher son ingratitude. Le coup retentit dans le cœur de Charles qui détourna les yeux, et continua rapidement sa route vers Lachine, lieu du rendez-vous, et y arriva vers la fin du jour. La plupart des voyageurs y étaient déjà réunis ; il y retrouva ses compagnons de l'auberge. Comme on craignait les désordres et la désertion parmi les engagés, pendant la nuit, on les envoya camper dans l'île de Dorval, à quelque distance du village. Le lendemain, on les ramena à terre ; et tout étant prêt pour le départ, les canots montés chacun par quatorze hommes sans compter les bourgeois et les commis, furent poussés au large. Aussitôt, à un signal donné, un vieux guide entonna la gaie chanson du départ :

Derrier' chez nous y a-t'une pomme :
Voici le joli mois de mai :
Qui fleurit quand y'ordonne ;
Voici le joli mois qu'il donne,
Voici le joli mois de mai.

Les avirons obéissant à la cadence faisaient bouillonner l'eau autour des canots qui fendaient l'eau avec rapidité, s'efforçant de se dépasser de vitesse, et laissant derrière eux de longs sillons. Bientôt les chants s'affaiblirent ; les sillons s'effacèrent, et les canots ne parurent plus que comme des points noirs à l'horizon... La foule, accourue sur le rivage pour être témoin du départ, se dispersa en silence...

Que Dieu daigne conduire les pauvres voyageurs...

Chapitre III
Un notaire au rabais

La douleur causée par le départ du jeune Charles se fit longtemps sentir dans la famille; mais le temps, ce grand maître qui, à la longue, calme les plus grandes afflictions, vint à bout de celle-ci comme de toutes les autres. Les occupations avaient repris leur routine habituelle, et rien en apparence ne faisait remarquer l'absence de Charles; seulement, on savait que, chaque soir, après la prière en commun, la mère et sa fille prolongeaient la leur de quelques minutes; il n'est pas besoin de dire pour qui étaient ces prières ferventes souvent entrecoupées de longs soupirs. Le père paraissait le seul qui eût le plus généreusement fait son sacrifice. Il lui restait encore son fils aîné qui, depuis le départ de son jeune frère, avait redoublé de soins et d'attentions pour lui; le père, de son côté, sentait sa tendresse s'accroître pour celui qu'il regardait maintenant comme son fils unique. Le plus grand malheur qu'il redoutait, était de voir ce fils les abandonner à son tour. Aussi cherchait-il tous les moyens de se l'attacher plus étroitement. Il crut à la fin en avoir trouvé un bien efficace; et comme il ne prenait jamais de résolutions tant soit peu importantes sans consulter sa femme, il s'empressa de lui en faire part.

— Tu sais, ma chère femme, lui dit-il, que nous avons déjà perdu un de nos enfants ; j'ai bien peur que l'aîné nous quitte à son tour. J'épie ses démarches depuis quelques jours, et il me semble qu'il se passe quelque chose d'extraordinaire en lui ; je lui ai même entendu dire à un de nos voisins, qu'après tout, son frère n'avait pas si mal fait ; qu'il reviendrait dans trois ans, avec de l'argent devant lui, et qu'il pourrait alors s'établir ; au lieu que lui ne serait pas alors plus avancé. Que deviendrions-nous, ma chère femme, s'il lui prenait envie de nous quitter ? Sais-tu que j'ai dans la tête un projet qui doit nous l'attacher pour toujours ? J'y pense depuis quelque temps, et je crois que tu seras de mon avis ; ce serait de lui faire donation de tous nos biens moyennant une rente viagère qu'il nous paierait. Par ce moyen, il se trouvera maître de la terre, et ne pensera plus à partir. Qu'en dis-tu ?

— Cela mérite bien réflexion, répondit la femme. Je n'y avais pas encore pensé ; seulement, je te ferai observer que plusieurs se sont donnés comme cela à leurs enfants, et n'ont eu que du chagrin avec eux.

— Mais, ma chère femme, est-ce que tu craindrais quelque chose de semblable de notre fils ? Il s'est toujours montré si bon pour nous ; d'ailleurs, on fera faire l'acte par un bon notaire. Nous commençons à être avancés en âge, et je pense que ce serait le meilleur moyen d'être heureux sur nos vieux jours.

— Hé bien ! répondit la femme, prenons le temps d'y réfléchir, et nous en reparlerons plus tard.

La conversation s'était ainsi prolongée entre Chauvin et sa femme, jusqu'auprès de l'église où ils se rendaient. C'était un dimanche. Dans toutes les directions, et aussi loin que la vue pouvait s'étendre, on voyait arriver les paroissiens; ceux qui demeuraient près de l'église, à pied; les plus éloignés, en voiture ou à cheval; et à mesure que ces derniers arrivaient, ils attachaient leurs montures aux poteaux rangés symétriquement sur la place publique au-devant de l'église; puis les groupes se formèrent : on parla temps, récoltes, chevaux, jusqu'à ce que le tintement de la cloche leur annonçât que la messe allait commencer; tous alors entrèrent dans l'église, et suivirent l'office divin avec un religieux silence. La messe finie, on se hâta de sortir pour assister aux criées.

Ces criées qui se font régulièrement, le dimanche, à la porte des églises, sont regardées comme de la plus haute importance par la population des campagnes; en effet, toutes les parties des lois qui l'intéressent — police rurale, ventes par autorité de justice, ordres du grand-voyer, des sous-voyers, des inspecteurs et sous-inspecteurs — s'y publient de temps à autre et dans les saisons convenables; c'est pour eux la gazette officielle. Ensuite viennent les annonces volontaires et particulières; encan de meubles et d'animaux, choses perdues, choses trouvées, etc., tout tombe dans le domaine de ces annonces; c'est la chronique de la semaine qui vient de s'écouler. Ces criées sont confiées à un homme de la paroisse qui porte le nom de crieur, qui sait lire quelquefois, et bien souvent ne le sait pas du tout, mais qui rachète ce défaut par de l'aplomb, une certaine facilité à parler en public, et une mémoire heureuse qui lui a permis de se former un petit vocabulaire de termes consacrés par l'usage. Si l'on ajoute à cela le ton comique et original avec lequel il parle, les contresens et les mots merveilleusement estropiés, on aura quelque idée de cette scène quelquefois unique en son genre.

La foule s'était donc serrée près du crieur qui, placé sur une estrade élevée, et après avoir promené sur l'auditoire un regard assuré :

— Messieurs, s'écria-t-il, attention ! J'ai bien des annonces à vous faire aujourd'hui.

— C'est défendu de lâcher les animaux dans les chemins, avant le temps *fisqué* (fixé) par la loi ; ainsi, tous les animaux qui seront trouvés dans les chemins, seront *poursuis* et paieront l'amende...

— Les seigneurs de l'île vous font annoncer que le temps des rentes est arrivé ; ainsi, tous ceux qui doivent des *zods lé ventes* (lots et ventes) et des *arriérages* sont avertis d'aller *s'éclaircir* en payant ce qu'ils doivent, et d'y aller sans délai, s'ils veulent avoir du *grati* (gratis).

— Il y aura un encan public, mardi prochain... non, mercredi prochain...

Une voix :

— Non, c'est vendredi.

Le crieur :

— Ah ! oui, oui, messieurs, c'est une *trompe* (erreur), c'est vendredi ; là *ous qu'il y* aura beaucoup de meubles de ménage trop *longs* à détailler : des chevaux, des vaches, des moutons, trop *longs* à détailler. De plus, des charrettes, charrues, aussi trop *longs* à détailler.

Pendant que les annonces allaient ainsi leur train, deux hommes fendaient la foule, portant un lourd fardeau ; ils s'approchèrent du crieur et le déposèrent à ses pieds.

— Messieurs, continua celui-ci, un veau pour l'Enfant-Jésus*. Qu'est-ce qui veut du veau?... Une piastre, pour commencer;... rien qu'une piastre pour ce beau veau bien gras... deux piastres... il s'en va, il va s'en aller... Une fois... deux fois... trois fois... Adjugé... à moi — c'est moi qui l'achète.

Cependant, la foule voyant que la séance tirait à sa fin, commençait déjà à défiler, lorsque le crieur se sentit tirer par l'habit; il se baissa pour écouter quelques mots qu'on lui dit à l'oreille, puis se relevant :

— Arrêtez, messieurs, encore une annonce de grande importance. M. Dunoir, notaire, vous prévient qu'il vient s'établir parmi vous, et qu'il fera toutes sortes d'actes, depuis le compte et partage le plus difficile et le plus embrouillé jusqu'au plus simple billet; il prendra meilleur marché que l'autre notaire; les *ac* (actes) de vente avec la *coupie* (copie) cinq chelins — les *ac* de *damnation,* (actes de donation) six chelins... etc., etc.

Ici le notaire glissa quelque chose dans la main du crieur, qui reprit aussitôt :

— Je vous assure, messieurs, que c'est un bon notaire; un jeune homme qui paraît *ben retors dans le capablement.* Il vous demande votre pratique... Il vous servira comme y faut... C'est fini, messieurs, *y a pu* rien pour aujourd'hui.

L'assemblée à ce signal se dispersa promptement.

---

* Suivant l'usage, comme l'on sait, le curé fait chaque année, dans sa paroisse, au temps de Noël, une quête pour les pauvres. Chacun donne librement ce qu'il veut : argent, denrées ou autres effets. Dans le cas présent, quelqu'un avait promis un veau, et l'offrait en vente pour en verser le produit dans le fonds de la quête.

Le notaire seul resta, attendant que le curé fût sorti de l'église pour aller lui présenter ses respects. Laissons M. Dunoir chez M. le curé qui l'aura, sans doute, invité à dîner, et suivons le père Chauvin et sa digne compagne jusque chez eux.

Chapitre IV
La donation

De retour à la maison, l'entretien sur l'affaire importante de la donation projetée ne tarda pas à se renouer entre les deux époux. Le mari fit valoir de nouveau les raisons déjà données, et d'autres qu'il crut propres à faire goûter ce projet à sa femme. Celle-ci fit ses remarques, ses objections; le tout fut longuement discuté, tourné et examiné sur toutes les faces, et après mûre délibération, définitivement agréé de part et d'autre. Ils appelèrent alors leur fils, et lui firent part de la résolution qu'ils venaient de prendre. Comme on le pense bien, le fils ne pouvait en croire ses oreilles; se voir tout d'un coup seul maître et possesseur de la terre paternelle, lui semblait presqu'un rêve; aussi, à la réitération des offres de son père et de sa mère, mit-il moins de temps à les accepter, qu'il n'en avait fallu à ceux-ci pour se décider à faire cette démarche. Il fut ensuite convenu que l'acte en serait passé le surlendemain; et tous trois employèrent le temps qui restait jusque-là à en débattre les conditions.

Le jour arrivé, le père, la mère et leur garçon se préparèrent à se rendre chez le notaire. Comme c'était une affaire qui intéressait toute la famille, Marguerite fut invitée à les accompagner; on invita même, suivant l'usage, quelques parents et quelques voisins, amis intimes de la famille; et tous ensemble se dirigèrent vers la demeure du notaire. Au moment du départ, on fut indécis si l'on irait chez l'ancien ou le nouveau notaire; mais les avis étant pris, la majorité décida que l'on donnerait la préférence au nouveau, parce qu'il s'était fait annoncer comme un bon notaire, et qu'il faisait les actes à meilleur marché que l'ancien. Un quart d'heure après, on arrivait chez le nouveau praticien. M. Dunoir était en ce moment à sa fenêtre, lorsqu'il vit plusieurs voitures s'arrêter devant sa porte et une dizaine de personnes en descendre :

— Bon, dit-il, mes annonces font effet; voilà déjà des pratiques.

Et allant lui-même ouvrir la porte, il introduisit les arrivants, leur offrit poliment des sièges, où tous prirent place, Chauvin, sa femme et leur fils, près du notaire, le reste, en seconde ligne, un peu à l'écart.

— Qu'y a-t-il pour votre service ? demanda le notaire.

— Nous sommes venus, répondit Chauvin, nous donner à notre garçon que voilà, et passer l'acte de donation.

— Ah! dit le notaire, en s'efforçant de faire l'agréable, et lorgnant Marguerite du coin de l'œil, je croyais que c'était pour le contrat de mariage de mam'selle.

Marguerite baissa la tête en rougissant; tous les autres se mirent à rire.

— Hé bien, mam'selle, reprit le notaire, quand vous serez prête, je serai à vos ordres, pour passer votre contrat de mariage; en attendant, faisons notre acte de donation.

Tout en parlant ainsi, le notaire avait pris une feuille de papier, et y avait imprimé du pouce une large marge, puis après avoir taillé sa plume, il la plongea dans l'encrier, et commença :

Par-devant les Notaires Publics, etc., etc.

Furent présents, J. B. Chauvin, ancien cultivateur, etc., et Josephte Le Roi, son épouse, etc., etc.

Lesquels ont fait donation pure, simple, irrévocable et en meilleure forme que donation puisse se faire et valoir, à J.-B. Chauvin, leur fils aîné, présent et acceptant, etc., d'une terre sise en la paroisse du Sault-au-Récollet, sur la Rivière des Prairies, etc., bornée en front par le chemin du roi; derrière par le *Tréquarrez* des terres de la côte St-Michel; du côté nord-est à Alexis Lavigne; et à l'ouest à Joseph Sicard; avec une maison en pierre, grange, écurie et autres bâtisses sus-érigées, etc., etc.

Cette donation ainsi faite pour les articles de rente et pensions viagères qui en suivent, savoir :

Le notaire s'arrêta un moment, et dit à Chauvin qu'il allait écrire les conditions à mesure qu'il les lui dicterait :

— 600 lbs. en argent.

— 24 minots de blé froment, bon, sec, net, loyal et marchand.

— 24 minots d'avoine.

— 20 minots d'orge.

— 12 minots de pois.

— 200 bottes de foin.

— 15 cordes de bois d'érable, livrées à la porte du donateur, sciées et fendues.

— Le donataire fournira aux donateurs 4 mères moutonnes et le bélier, lesquels seront tonsurés aux frais du donataire.

— 12 douzaines d'œufs.

— 12 livres de bon tabac canadien en torquette.

— Une vache laitière.

— Deux...

— Pardon, monsieur, interrompit le père Chauvin ; vous dites seulement : une vache laitière ; mais je vous ai dit qu'en cas de mort, nous sommes convenus, mon fils et moi, qu'il la remplacerait par une autre.

— C'est juste, dit le notaire, nous allons ajouter cela.

— Une vache laitière qui ne meurt point.

— Bon, c'est cela, dirent les assistants...

— Deux valtes* de rhum.

— Trois gallons de bon vin blanc.

Ici le notaire passa la langue à plusieurs reprises sur ses lèvres.

— Un cochon gras, pesant au moins 200 livres.

— Un...

— Mais, papa, interrompit le garçon, voyez donc, la rente est déjà si forte ! Mettez donc un cochon maigre ; il ne vous en coûtera pas beaucoup à vous pour l'engraisser.

— Non, non, dit le père, nous sommes convenus d'un cochon gras, tenons-nous-en à nos conventions.

Là-dessus, longue discussion entre eux, à laquelle tous les assistants prirent part. À la fin, le notaire parut comme illuminé d'une idée subite :

— Tenez, s'écria-t-il, je m'en vais vous mettre d'accord ; vous, père Chauvin, vous exigez un cochon gras ; vous, le fils, vous trouvez que c'est trop fort ; eh bien, mettons :

---

* (*sic*) La velte est une ancienne mesure de capacité qui pouvait varier entre 7 et 8 litres selon les régions (*N.d.É.*).

— Un cochon raisonnable.

— C'est cela, c'est cela, dirent ensemble tous les assistants.

En même temps, un éclat de rire, mais étouffé presque aussitôt, fit tourner tous les yeux du côté de Marguerite qui, depuis longtemps, faisait tous ses efforts pour se contenir.

Le notaire la regarda, en fronçant légèrement les sourcils :

— Mam'selle, dit-il, pourrais-je savoir le sujet de... ?

— Chut ! Marguerite, dit le père...

Vinrent ensuite les clauses importantes de l'incompatibilité d'humeur, du pot et ordinaire, du cheval et de la voiture en santé et en maladie, et puis, à la fin, l'enterrement des donateurs quand il plairait à Dieu de les rappeler de ce monde.

Nous ferons grâce à nos lecteurs du reste des charges, clauses et conditions de ce contrat, lesquelles furent de nouveau longuement débattues, et qui en prolongèrent la durée bien avant dans l'après-midi. Aussi ce ne fut pas sans une satisfaction générale, que le notaire annonça qu'il allait en faire la lecture. La lecture finie, le père, la mère et leur garçon touchèrent la plume en même temps que le notaire en traçait trois croix entre leurs noms et prénoms, lesquelles devaient compter comme leurs signatures ; puis le notaire signa lui-même son nom, en l'enlaçant d'une tournoyante (*sic*) paraphe, et procéda de suite à l'opération importante de mentionner les renvois et compter les mots rayés.

— Un... deux... trois... quatre... Seize renvois en marge bons.

— Un... deux... trois... quatre... Quarante-deux mots rayés et huit barbeaux sont nuls.

— Là, dit le notaire, voilà qui est fini. Il n'y a que mam'selle qui ne signe pas; mais je l'attends à son contrat de mariage; on verra si elle rira alors autant qu'elle le fait maintenant.

Après avoir tiré sa bourse, et payé le coût de l'acte selon le nouveau tarif publié à la porte de l'église, le père Chauvin et tous les invités gagnèrent leurs voitures et se mirent en route.

Chapitre V
Suite de la donation

Les discussions qui avaient eu lieu chez le notaire, pendant la passation de l'acte, avaient été si fréquentes et si prolongées, que, comme nous l'avons déjà dit, le jour était près de finir lorsque Chauvin et ses amis arrivèrent chez lui. Il les retint tous à passer le reste du jour et la soirée avec lui ; on y convia même, suivant l'usage en pareille circonstance, d'autres voisins et amis, et tous ensemble félicitèrent le père et le fils sur l'acte qu'ils venaient de conclure ; et ce jour fut joyeusement terminé par un abondant repas où les talents culinaires de la mère Chauvin et de sa fille se firent remarquer.

Cependant, tous les convives de Chauvin n'envisageaient pas du même œil la démarche qu'il venait de faire. Quelques-uns trouvèrent le fils très bien avantagé, et portaient même la sollicitude paternelle jusqu'à entrevoir la possibilité d'une alliance très prochaine entre l'heureux donataire et l'une de leurs filles. D'autres, au contraire, doutaient beaucoup de l'heureux résultat que devait opérer ce changement survenu dans la direction des affaires de cette famille. Ils disaient même dans leur langage naïf et expressif que le fils s'était *enfargé*; qu'un des moindres défauts de la donation était d'être trop forte; et qu'avec le peu d'aptitude qu'on connaissait au fils, il ne pourrait supporter un pareil fardeau, *et n'en ressoudrait jamais.*

Ce n'était plus, en effet, le père qui gouvernait alors; il n'était plus chef que de nom. Le fils seul avait les affaires. Pendant quelque temps, le père lui vint en aide par ses avis et ses conseils; puis, quand il le jugea assez fort, il le laissa marcher seul. Mais on ne fut pas longtemps sans s'apercevoir de grands changements dans cette famille, naguère si étroitement unie. Ce n'était plus ces rapports familiers et intimes entre le père et le fils, mais une certaine réserve, de la froideur, de la défiance même, que l'on surprenait entre eux; c'était alors le créancier et le débiteur qui s'observaient mutuellement. Le père sachant que la pension était forte, était en proie à une vive inquiétude de savoir si elle lui serait exactement payée; le fils, de son côté, tâchait de deviner, à l'air de son père, s'il n'aurait pas en lui un créancier dur et exigeant. Cependant tout alla passablement bien la première et la seconde année. Les articles de la pension furent assez exactement payés à leurs diverses échéances; même le cochon raisonnable fut ponctuellement délivré en nature au temps fixé; la vache qui ne meurt point continuait de se porter à merveille, et à faire régulièrement ses devoirs de laitière et d'épouse; mais bientôt, quelque retard dans la livraison de certains items, causé par la mauvaise récolte et une gêne temporaire, amena quelques observations de la part du père. Le fils répliqua; quelques mots un peu brusques furent échangés de part et d'autre; le père se plaignit de la mauvaise qualité des articles; que le pot et ordinaire n'était point tel que convenu; que les chevaux étaient toujours occupés quand il voulait s'en servir, etc., etc. — D'une parole à une autre, les choses s'aigrirent, et la guerre éclata. Le père, invoquant la clause de l'incompatibilité d'humeur, déclara formellement s'en prévaloir et vouloir aller loger ailleurs. La mère et les amis communs tentèrent, mais inutilement, de lui faire révoquer sa résolution. Il partit avec sa femme et Marguerite, abandonnant la terre paternelle entre les mains de son fils. Les choses, loin de s'améliorer par ce brusque départ, n'en allèrent que plus mal. Le fils débarrassé de la surveillance paternelle qui lui était à charge depuis longtemps, ne sut profiter des ressources qu'il avait en main, et négligea entièrement les travaux de la terre. La rente en souffrit cruellement, et le père se vit restreint au plus strict nécessaire, qu'il arrachait avec la plus grande peine, de son fils, qui ne le lui abandonnait que comme à titre de don gratuit; il en vint même à porter une main tremblante, et presque sacrilège sur le vieux coffre où gisaient les épargnes si soigneusement conservées. Un tel état de choses ne pouvait durer longtemps. Le père alla consulter des hommes de loi qui lui conseillèrent de faire vendre la terre à la charge de la pension. L'idée de vendre le patrimoine de ses ancêtres lui était trop amère. Les conseils plus pacifiques de ses amis l'engagèrent à la reprendre; ils se chargèrent de négocier l'affaire avec le fils; ils réussirent heureusement à opérer un rapprochement entre eux, et parvinrent même à les réconcilier. Ils firent entendre raison au fils, lui représentèrent qu'il n'était plus possible de continuer les choses sur ce pied, et finirent par le persuader qu'il était de son intérêt comme celui de son père que la donation fût révoquée; l'acte fut donc résilié à la satisfaction mutuelle des parties; et après cinq années de déboires et de chagrin, la terre paternelle rentra sous la conduite de son ancien propriétaire.

Chapitre VI
La ruine du cultivateur

La donation faite dans des motifs si louables en apparence avait porté, comme on l'a vu, de funestes coups à cette famille. Cependant, malgré la réconciliation opérée entre le père et le fils, malgré l'oubli du passé qu'ils venaient de se jurer l'un à l'autre, on chercherait en vain au milieu d'eux le même bonheur et la même harmonie qu'autrefois; les choses, pourtant, avaient été remises sur le même pied qu'auparavant; les mêmes hommes avaient repris leur première position; mais, avec quelle différence et quels changements! Le fils, pendant qu'il avait eu le maniement des affaires, avait laissé dépérir le bien, et contracté des habitudes d'insouciance et de paresse. Le courage et l'énergie du père s'étaient émoussés au contact du repos et de l'inaction. Il en coûtait beaucoup à son amour-propre de se remettre au travail, comme un simple cultivateur. Pendant les quelques années qu'il avait été rentier, il avait joui d'une grande considération parmi ses semblables qui, n'envisageant d'ordinaire que les dehors attrayants de cet état, l'avaient bien souvent regardé avec des yeux d'envie; il lui fallait maintenant descendre de cette position, pour se remettre au même niveau que ses voisins. Sa condition de cultivateur dont il s'enorgueillissait autrefois, lui paraissait maintenant trop humble, et avait même quelque chose d'humiliant à ses yeux; poussé par un fol orgueil, il résolut d'en sortir.

Il avait remarqué que quelques-unes de ses connaissances avaient abandonné l'agriculture pour se lancer dans les affaires commerciales; il avait vu leurs entreprises couronnées de succès; toute son ambition était de pouvoir monter jusqu'à l'heureux marchand de campagne qu'il voyait honoré, respecté, marchant à l'égal du curé, du médecin, du notaire, et constituant à eux quatre, la haute aristocratie du village.

En vain lui représentait-on que n'ayant pas l'instruction suffisante, il lui serait impossible de suivre les détails de son commerce de manière à pouvoir s'en rendre compte; à cela, il répondit que sa fille Marguerite était instruite et qu'elle tiendrait l'état de ses affaires. Sourd à tous les conseils, et entraîné par la perspective de faire promptement fortune, il se décida donc à risquer les profits toujours certains de l'agriculture contre les chances incertaines du commerce. Le lieu qu'il habitait n'étant point propre pour le genre de spéculations qu'il avait en vue, il loua sa terre pour un modique loyer, et alla s'établir avec sa famille dans un village assez florissant dans le nord du district de Montréal; il y acheta un emplacement avantageusement situé, y bâtit une grande et spacieuse maison, et vint faire ses achats de marchandises à la ville. Le commerce prospéra d'abord, plus peut-être qu'il n'avait espéré. On accourait de tous côtés chez lui. Pour se donner de la vogue, il affectait une grande facilité avec tout le monde, accordait de longs crédits, surtout aux débiteurs des autres marchands des environs, qui trouvant leurs comptes assez élevés chez leurs anciens créanciers, venaient faire à Chauvin l'honneur de se faire inscrire sur ses livres. Ce qu'il avait souhaité lui était arrivé; il jouissait d'un grand crédit, il était considéré partout; on le saluait de tous côtés, et de bien loin à la ronde, on ne le connaissait que sous le nom de Chauvin le riche; lui-même ne paraissait pas insensible à ce pompeux surnom, et il lui arriva même une fois d'indiquer, sous ce modeste titre, sa demeure à des étrangers. Il va sans dire que les dépenses de sa maison étaient en harmonie avec le gros train qu'il menait. Tout à coup, les récoltes manquèrent, amenant à leur suite la gêne chez les plus aisés, la pauvreté chez un grand nombre. Des pertes inattendues firent d'énormes brèches à sa fortune; ses crédits qui paraissaient les mieux fondés furent perdus; pour la première fois de sa vie, il manqua à ses engagements envers les marchands fournisseurs de la ville, qui, après avoir attendu assez longtemps, le menacèrent d'une saisie et de faire vendre ses biens. Cette menace sembla redoubler son énergie. Il se raidit de toutes ses forces contre l'adversité, et résolut, pour faire face à ses affaires, de tenter le sort de l'emprunt; cette démarche, loin de le tirer d'embarras, ne servit qu'à le plonger plus avant dans le gouffre. L'usurier, fléau plus nuisible et plus redoutable aux cultivateurs que tous les ravages ensemble de la mouche et de la rouille, lui prêta une somme à gros intérêts, remboursable en produits à la récolte prochaine. La récolte manqua de nouveau; il continua quelque temps encore à se débattre sous les coups du sort, et se vit à la fin complètement ruiné. La saisie dont on l'avait menacé depuis longtemps fut mise à exécution contre lui. L'exploitation de son mobilier suffit à peine à payer le quart de ses dettes. Ses immeubles furent attaqués à leur tour, et après les formalités d'usage, vendus par décret forcé; et la terre paternelle, sur laquelle les ancêtres de Chauvin avaient dormi pendant de si longues années, fut foulée par les pas d'un étranger...

Chapitre VII
Dix ans après

L'hiver venait de se déclarer avec une grande rigueur. La neige couvrait la terre. Le froid était vif et piquant. Le ciel était chargé de nuages gris que le vent chassait avec peine et lenteur devant lui. Le fleuve, après avoir promené pendant plusieurs jours ses eaux sombres et fumantes, s'était peu à peu ralenti dans son cours, et enfin était devenu immobile et glacé, présentant une partie de sa surface unie, et l'autre toute hérissée de glaçons verdâtres. Déjà l'on travaillait activement à tracer les routes qui s'établissent d'ordinaire, chaque année, de la ville de Longueuil, à St-Lambert et à Laprairie; partie de ces chemins était déjà garnie de balises plantées régulièrement de chaque côté, comme des jalons, pour guider le voyageur dans sa route, et présentait agréablement à l'œil une longue avenue de verdure.

Deux hommes, dont l'un paraissait de beaucoup plus âgé que l'autre, conduisaient un traîneau chargé d'une tonne d'eau, qu'ils venaient de puiser au fleuve, et qu'ils allaient revendre de porte en porte, dans les parties les plus reculées des faubourgs. Tous deux étaient vêtus de la même manière : un gilet et pantalon d'étoffe du pays sales et usés ; des chaussures de peau de bœuf dont les hausses enveloppant le bas des pantalons, étaient serrées par une corde autour des jambes, pour les garantir du froid et de la neige ; leur tête était couverte d'un bonnet de laine bleu du pays. Les vapeurs qui s'exhalaient par leur respiration s'étaient congelées sur leurs barbes, leurs favoris et leurs cheveux, qui étaient tout couverts de frimas et de petits glaçons. La voiture était tirée par un cheval dont les flancs amaigris attestaient à la fois, et la cherté du fourrage, et l'indigence du propriétaire. La tonne, au-devant de laquelle pendaient deux sceaux de bois cerclés en fer, était, ainsi que leurs vêtements, enduite d'une épaisse couche de glace.

Ces deux hommes finissaient le travail de la journée : exténués de fatigue et transis de froid, ils reprenaient le chemin de leur demeure située dans un quartier pauvre et isolé du faubourg St-Laurent. Arrivés devant une maison basse et de chétive apparence, le plus vieux se hâta d'y entrer, laissant au plus jeune le soin du cheval et du traîneau. Tout dans ce réduit annonçait la plus profonde misère. Dans un angle, une paillasse avec une couverture toute rapiécée ; plus loin, un grossier grabat, quelques chaises dépaillées, une petite table boiteuse, un vieux coffre, quelques ustensiles de fer-blanc suspendus aux trumeaux, formaient tout l'ameublement. La porte et les fenêtres mal jointes permettaient au vent et à la neige de s'y engouffrer. Un petit poêle de tôle dans lequel achevaient de brûler quelques tisons, réchauffait à peine la seule pièce dont se composait cette habitation qui n'avait pas même le luxe d'une cheminée : le tuyau du poêle perçant le plancher et le toit en faisait les fonctions.

Près du poêle, une femme était agenouillée. La misère et les chagrins l'avaient plus vieillie encore que les années. Deux sillons profondément gravés sur ses joues annonçaient qu'elle avait fait un long apprentissage des larmes. Près d'elle, une autre femme que ses traits quoique pâles et souffrants, faisaient aisément reconnaître pour sa fille, s'occupait à préparer quelques misérables restes pour son père et son frère qui venaient d'arriver.

Nos lecteurs nous auront sans doute déjà devancé, et leur cœur se sera serré de douleur en reconnaissant, dans cette pauvre famille, la famille autrefois si heureuse de Chauvin!...

Chauvin après s'être vu complètement ruiné, et ne sachant plus que faire, avait enfin pris le parti de venir se réfugier à la ville. Il avait en cela imité l'exemple d'autres cultivateurs qui, chassés de leurs terres par les mauvaises récoltes et attirés à la ville par l'espoir de gagner leur vie, en s'employant aux nombreux travaux qui s'y font depuis quelques années, sont venus s'y abattre en grand nombre, et ont presque doublé la population de nos faubourgs. Chauvin, comme l'on sait, n'avait point de métier qu'il pût exercer avec avantage à la ville; il n'était que simple cultivateur. Aussi ne trouvant pas d'emploi, il se vit réduit à la condition de charroyeur d'eau, un des métiers les plus humbles que l'homme puisse exercer sans rougir. Cet emploi, quoique très peu lucratif, et qu'il exerçait depuis près de dix ans, avait cependant empêché cette famille d'éprouver les horreurs de la faim. Au milieu de cette misère, la mère et la fille avaient trouvé le moyen, par une rigide économie et quelques ouvrages à l'aiguille, de faire quelques petites épargnes; mais un nouveau malheur était venu les forcer à s'en dépouiller: le cheval de Chauvin se rompit une jambe.

Il fallut de toute nécessité en acheter un autre qui ne valait guère mieux que le premier; et avec lequel Chauvin continua son travail. Mais ce malheur imprévu avait porté le découragement dans cette famille. Quelques petits objets que la mère et Marguerite avaient toujours conservés religieusement comme souvenirs de famille et d'enfance, furent vendus pour subvenir aux plus pressants besoins. L'hiver sévissait avec rigueur; le bois, la nourriture étaient chers; alors, des voisins compatissants, dans l'impossibilité de les secourir plus longtemps, leur conseillèrent d'aller se faire inscrire au *Bureau des pauvres,* pour en obtenir quelque secours. Il en coûtait à l'amour-propre et au cœur de la mère d'aller faire l'aveu public de son indigence. Mais la faim était là, impérieuse! Refoulant donc dans son cœur la honte que lui causait cette démarche, elle emprunte quelques hardes à sa fille, et se dirige vers le bureau. Elle y entre en tremblant; elle y reçut quelque modique secours. Mais sur les observations qu'on lui fit, que le bureau avait été établi principalement pour les pauvres de la ville, et qu'étant de la campagne, elle aurait dû y rester et ne pas venir en augmenter le nombre, la pauvre femme fut tellement déconcertée du ton dont ces observations lui furent faites qu'elle sortit, oubliant d'emporter ce qu'on lui avait donné, et reprit le chemin de sa demeure, en fondant en larmes.

Chapitre VIII
Le charnier

Après dix ans de pareilles souffrances, le malheur de la famille Chauvin ne pouvait, ce semble, aller plus loin. Cependant il lui fallait encore passer par d'autres épreuves bien douloureuses, et boire la coupe jusqu'à la lie. Le fils aîné fut attaqué d'une maladie mortelle ; la misère, les privations de tous genres, le travail excessif avaient achevé de ruiner sa santé depuis longtemps chancelante. Tous les secours de l'art ne purent le rappeler à la vie. Il mourut entre les bras de sa famille qui se vit privée tout à coup d'un de ses soutiens. Ce fut au pauvre père affligé que fut dévolue la pénible tâche de s'occuper de l'enterrement. La demeure du bedeau lui fut indiquée, et il s'y rendit ; ce pourvoyeur de la mort n'était pas alors chez lui ; en effet Chauvin le rencontra, peu d'instants après, sortant de l'église tout essoufflé ; il venait d'aider à sonner, en grand carillon, les glas d'un riche, qui, par un contraste insultant pour la misère de Chauvin, s'était laissé mourir d'un excès d'embonpoint. Parmi toutes les bonnes qualités qui brillaient en notre bedeau, aucune n'égalait la sensibilité de son cœur. C'était surtout lorsque quelques parents affligés venaient, les larmes aux yeux, lui annoncer la mort de quelqu'un des leurs, que cette qualité se montrait dans tout son éclat. Alors on le voyait présenter à son interlocuteur une moitié du visage où se peignait la tristesse la plus profonde, tandis qu'un spectateur placé du côté opposé, eût pu voir l'autre joue épanouie, et son œil pétiller de joie en pensant aux nombreux items du tarif. L'amour du prochain était pratiqué à un haut degré par notre bedeau. Quelques malins disaient pourtant qu'il l'aimait peut-être un peu plus après sa mort que pendant sa vie, par la raison que lorsque le défunt, après avoir dit un éternel adieu aux choses d'ici-bas, avait déjà réglé ses comptes dans l'autre monde, il lui restait encore à régler en dernier ressort avec notre bedeau. Hâtons-nous cependant d'ajouter, en toute justice, que s'il lui arrivait rarement de rabattre sur le tarif, il ne lui arrivait jamais non plus de le surcharger.

Lors donc que Chauvin lui eut exposé le sujet de sa visite, notre bedeau, tout en s'apitoyant sur son malheur, promenait sur lui un regard inquisiteur pour tâcher de découvrir à quelle classe appartenait le défunt.

— Quand sonnerez-vous les glas de mon fils? demande le père.

— Tout de suite, si vous voulez: combien de cloches? Puis, avec la volubilité d'un homme qui sait son tarif par cœur. 1 cloche, c'est 10 piastres; 2 cloches, c'est 20 piastres; 3 cloches, c'est 30 piastres; 4 cloches, c'est...

— Ah! mon cher monsieur, interrompit Chauvin, je suis bien pauvre : je ne pourrai jamais vous payer des sommes comme cela.

— Quoi! pas seulement pour une cloche? Mais il faut au moins payer pour une cloche, si vous voulez avoir un service; autrement vous n'en aurez pas, et on portera votre fils au cimetière tout droit.

— Serait-il possible, monsieur? Quoi! mon pauvre enfant n'entrerait donc pas à l'église!

— Mais non, vous dis-je, bonhomme, à moins que vous ne fassiez chanter un service, au moins d'une cloche. Comme ce gros monsieur qui vient de mourir, il sera porté à l'église, lui, parce qu'il paie pour un service, allez.

— Mais, monsieur, se permit de remarquer le père Chauvin, on dit que ce monsieur n'est jamais venu à l'église pendant sa vie, et cependant il va y entrer avec pompe après sa mort ! Mon fils, au contraire, y est venu souvent prier; il n'aura donc pas le bonheur d'y être porté après sa mort, pour avoir une pauvre petite prière et un peu d'eau bénite sur son corps.

— Que voulez-vous que j'y fasse : c'est la règle*. Tout ce que je puis faire pour vous, c'est de fournir un cercueil; vous porterez le corps au cimetière, et il y sera enterré jeudi prochain.

Le père Chauvin prit alors congé du bedeau, qui fut ponctuel à lui envoyer le cercueil, le jour indiqué. Le mort enseveli d'un linceul qu'un des voisins fournit par charité, y fut déposé au milieu des larmes et des san-

---

* On s'est relâché, depuis, de la rigueur de cette règle; les corps des pauvres peuvent maintenant entrer à l'église et participer aux prières qui s'y disent pour les morts (*N.d.A.*).
L'auteur pouvait avoir raison lorsqu'il a écrit la note qui précède; mais à l'époque où nous écrivons (mars 1850), les restes mortels des pauvres n'entrent pas dans l'église paroissiale de Montréal; on les porte «tout droit» au cimetière, où l'on marmotte un *libera* en toute hâte autour des cercueils, puis on les jette, sans dignité ni décence, pêle-mêle dans un charnier. (Note du compilateur, James Huston, *Le Répertoire National.*)
Sur ce passage, voir la préface de cet ouvrage et Réjean Robidoux, «Fortunes et infortunes de l'abbé Casgrain». (Note du préfacier de cette réédition.)

glots. Chauvin plaça le cercueil sur son traîneau, qu'un autre de ses voisins s'offrit généreusement de conduire, puis il prit place derrière accompagné du vieux chien Mordfort, et le convoi du pauvre s'achemina lentement vers le cimetière du faubourg St-Antoine.

— Mais où est-ce donc que vous allez mettre mon fils ? demanda Chauvin d'un air inquiet : je ne vois pas de fosse creusée pour.

— Mais, ici, répondit le gardien, dans *la charnière* — c'est là que l'on met les pauvres pendant l'hiver; la terre est gelée, et ça coûterait trop cher pour faire les fosses.

— Ah ! monsieur, je vous en prie, ne le mettez pas là; ma pauvre femme en mourrait de douleur, si elle le savait. Mon fils n'y restera pas la nuit, il va être volé par les clercs-docteurs.

— Ah ! pour cela, ne craignez rien, bonhomme; j'ai là mon fusil et un bon chien. Je les défie d'y venir.

— Tenez, monsieur, prêtez-moi une bêche; la terre ne vous manque pas ici, je vais creuser moi-même la fosse à mon fils, dans quelque petit coin.

— C'est impossible, bonhomme, c'est contre mes ordres.

— Oh ! je vous en prie, ne me refusez pas cette grâce, je gratterai plutôt la terre avec mes mains — mais pour l'amour de Dieu, ne mettez pas mon fils dans la *charnière.*

Cette horreur des pauvres pour le charnier n'est point exagérée. Il y a eu un temps où des gardiens infidèles se laissaient corrompre par l'appât de l'or, et faisaient du charnier un réservoir où les clercs-docteurs venaient, à prix fixe, y choisir les *sujets* de dissection qui leur convenaient. Il s'y faisait un trafic régulier de chair humaine : et Dieu seul connaît le nombre de ceux qui sont passés de ce lieu de repos sous le scalpel du médecin. Mais on doit dire ici à la louange du gardien actuel, qu'il s'acquitte de sa charge avec une fidélité à toute épreuve ; et personne ne sait mieux que les clercs-médecins, qu'il est incorruptible sur ce chapitre ; aussi envie ne leur prend d'essayer la juste portée de son fusil, ni de faire une connaissance trop intime avec la mâchoire du fidèle Sultan.

Aussi ce fut aux assurances réitérées que le gardien fit à Chauvin, que le corps de son fils serait dans le charnier aussi en sûreté qu'au sein de la terre, qu'il consentit, comme malgré lui, à l'y laisser déposer ; ce pauvre père, le cœur navré, plongea plusieurs fois ses regards au fond de ce trou où gisaient, rangés par ordre, un grand nombre de cercueils de toute grandeur ; et lorsque le corps de son fils y fut descendu, il lui jeta, pour dernier adieu, quelques poignées de terre, et la porte du charnier se referma.

Chapitre IX
Les prières d'une mère

Les jours qui suivirent l'enterrement n'eurent rien de remarquable dans la famille Chauvin : toujours la monotonie affreuse de la misère. Le père continuait seul maintenant son travail ; la mère et la fille essayaient de reprendre courage avec leurs occupations ordinaires.

Tous les anciens amis de Chauvin l'avaient abandonné depuis longtemps. Comme à l'ordinaire, il en comptait beaucoup au temps de la prospérité ; les jours mauvais étaient venus, et tous avaient pris la fuite. Un seul ne l'avait point abandonné, et le visitait souvent ; il le secourait même autant que ses faibles moyens le lui permettaient. Sa bonhomie, sa franchise et son cœur généreux l'avaient rendu l'ami intime de cette famille. C'était le vieux Danis, ancien voyageur, âgé de près de soixante et dix ans, haut de taille, à traits fortement prononcés. Il avait fait quarante campagnes dans les pays hauts sous les anciens bourgeois de la compagnie du Nord-Ouest. Retiré du service depuis longtemps, il n'avait recueilli de ses voyages qu'une modique rente qui lui suffisait à peine, et la réputation bien méritée parmi tous les voyageurs d'avoir été d'une force extraordinaire, marcheur infatigable et grand mangeur. Il avait appris de Chauvin que le cadet de ses fils s'était autrefois engagé pour les pays sauvages, et sans l'avoir jamais connu, il s'était pris d'affection pour ce jeune homme, seulement parce qu'il courait les mêmes aventures que lui, et il l'appelait familièrement son fils. Il entrait chez Chauvin à toute heure de la journée, et à chaque visite il ne manquait jamais de demander si on avait reçu des nouvelles du voyageur; c'était alors pour lui le prétexte tout naturel d'entrer en matière, et de raconter au long les prouesses de son jeune temps, et mille et mille épisodes de ses voyages tous plus véridiques les uns que les autres.

Un soir il vint faire sa visite accoutumée. La mère et la fille étaient seules; il s'assit près d'elles, et leur demanda comment elles se portaient:

— Tout doucement, répondit la mère d'une voix encore émue par des larmes récentes.

— Toujours des larmes, la mère, toujours des larmes!

— Eh! mon bon monsieur Danis, il y a longtemps que les larmes et moi avons fait connaissance; elles ont commencé à couler au départ de mon fils Charles; celles que je verse sont pour le seul fils qui me restait... Elles sont bien amères.

— Comment! du seul fils qui vous restait; diable, la mère, comme vous y allez; est-ce que vous croyez donc tout de bon que votre fils Charles est mort aussi? Allons donc, est-ce qu'on meurt toujours là-bas? et moi qui vous parle, j'ai bien été vingt ans d'un coup sans revenir, si bien que ma vieille Marianne, qui me croyait mort, voulait me faire chanter un *libera*; heureusement que je suis arrivé à temps. Eh! bien, après tout, vous voyez bien que je ne suis pas mort.

— Oui, mais mon pauvre fils dont nous n'avons pas eu de nouvelles depuis si longtemps; qui oserait espérer qu'il vive encore? On a interrogé tous les voyageurs qui sont descendus: personne n'en a entendu parler; et il n'y a plus aucun doute qu'il n'ait péri de faim et de froid dans l'expédition qui était allée à la recherche du capitaine Ross; il en faisait partie, comme vous savez. Ah! si quelque chose pouvait me faire espérer de revoir un jour ce cher fils, ce serait de penser que le bon Dieu a eu pitié de moi, et qu'il aura exaucé mes prières; car lui seul connaît combien je l'ai prié souvent et bien longtemps pour...

Les sanglots l'empêchèrent de continuer.

— Allons, allons, la mère, consolez-vous. Tenez, je ne suis pas prophète; mais je vous l'ai dit souvent, et je vous le répète encore, que Dieu est bon, qu'il se laissera toucher par vos prières et qu'il vous rendra tôt ou tard votre fils.

Chapitre X
Un voyageur

Nous allons laisser le père Danis achever paisiblement la veillée près de la mère Chauvin, et lui prodiguer des consolations, et avec la permission de nos lecteurs, nous leur ferons faire un agréable petit voyage à la Pointe-aux-Anglais, à quelques milles au-dessus du village du lac des Deux Montagnes, et nous les ramènerons dans les deux canots qui viennent de paraître à l'horizon. Partis du poste du Grand-Portage sur le lac Supérieur, depuis près d'un mois, ils avaient traversé une longue suite de lacs, de forêts et de rivières, sans presque rencontrer d'autres traces de civilisation que quelques croix de bois plantées sur la côte vis-à-vis des rapides, et qui y avaient été placées par d'anciens voyageurs, pour léguer à leurs futurs compagnons de voyage l'histoire affligeante de quelques naufrages arrivés en ces endroits; — ils touchaient enfin au terme de leur course pendant laquelle ils n'avaient éprouvé que des vents contraires. C'était par une belle matinée du mois de juillet. La nuit avait été calme et sereine, et les eaux du lac conservaient encore le matin leur immobilité de la nuit. Les voyageurs avaient campé en bas du Long-Sault, et s'étaient remis en route à la pointe du jour. Harassés par de longues fatigues, leurs corps se ployaient avec peine aux mouvements de l'aviron; les deux canots, à grandes pinces recourbées et fraîchement peints, de couleurs brillantes, glissaient lentement sur la surface des eaux; sous le large prélart qui recouvrait les paquets de fourrures dont les canots étaient chargés, deux commis des comptoirs de la compagnie achevaient paisiblement leur sommeil souvent interrompu de la nuit. Tout à coup un cri de joie se fait entendre : cri semblable à celui que poussent les marins en mer, quand, après une traversée longue et périlleuse, la vigie a crié : terre ! terre !... Ils venaient d'apercevoir le clocher de l'église de la mission du lac qui resplendissait alors des feux du soleil levant. Cette vue rappelait en eux de bien doux souvenirs; chacun croyait voir le clocher de son village; encore un pas et ils allaient revoir le lieu de leur enfance, embrasser leur vieux père, sauter au cou de leur vieille mère qui ne les attendent pas. — Ce cri poussé d'abord par un des guides avait été répété en chœur par tout l'équipage.

— Hardi, mes enfants, cria le vieux, au gouvernail; nous voilà arrivés; et pour exciter le courage et donner de l'activité aux avirons, il chanta d'un air animé :

Voici la saison,
Il est temps d'arriver, etc., etc.

Les refrains chantés en chœur étaient répétés au loin par l'écho du rivage. En peu de temps, les canots touchaient la terre vis-à-vis l'église du village, au milieu d'une grande foule accourue au-devant d'eux. Après quelques instants de relâche en cet endroit, on se remit en route. Le vent s'était élevé; ceux à la garde desquels les canots étaient confiés, craignant que les pelleteries ne fussent endommagées par l'eau, au lieu de couper en plein lac, dirigèrent les embarcations par le petit Détroit, et bientôt on arriva aux rapides Ste-Anne. Là, suivant l'antique et pieux usage, tous les voyageurs se rendirent à la petite chapelle blanche élevée sur les bords du rapide, sous l'invocation de Ste-Anne; ils venaient remercier leur patronne de les avoir préservés des dangers inséparables d'un si long voyage; en partant, ces mêmes hommes étaient venus s'y mettre sous sa protection, il était juste qu'ils vinssent s'y agenouiller au retour*.

Enfin, quelques heures après, les canots touchaient au port désiré depuis longtemps; ils étaient à Lachine, rendez-vous général de toutes les embarcations qui partent pour les pays hauts ou qui en reviennent. Tous nos voyageurs joyeux de se retrouver sains et saufs au même endroit qu'ils avaient quitté depuis longtemps, se félicitèrent mutuellement, et s'empressèrent d'accepter l'offre que leur fit l'agent de la compagnie de se reposer de leurs fatigues, avant de se rendre au sein de leurs familles. Un seul d'entre eux ne se rendit point à cette invitation, et chargeant son paquet de hardes sur ses épaules, il se mit aussitôt en route après avoir dit adieu à ses compagnons de voyage. C'était un homme dans la fleur de l'âge, à la taille élancée, et de bonne mine. Son teint était brûlé par les ardeurs du soleil. Ses cheveux longs et crépus qui n'avaient pas connu les ciseaux depuis longtemps flottaient sur ses épaules. Il portait des pantalons de grosse toile du pays, que retenait une large ceinture de laine diversement colorée, et dont les franges touffues retombaient sur ses genoux. Ses pieds étaient

---

* Le rapide Ste-Anne autrefois si pittoresque, chanté par le poète anglais Moore, a perdu son ancienne beauté. L'écluse et la longue chaussée que le bureau des travaux publics y a fait dernièrement construire, l'ont arrêté dans sa course. L'art a défiguré l'ouvrage de la nature (*N.d.A.*).

chaussés de souliers de peau d'élan artistement brodés en poil de porc-épic de diverses couleurs, et ornés de petits cylindres de métal d'où s'échappaient des touffes de poils de chevreuil teints en rouge. Sa chemise de coton blanc à raies bleues était entrouverte et laissait voir sa poitrine tatouée de dessins fantastiques. Un cordon dont on ne reconnaissait plus la couleur primitive pendait à son cou, et laissait deviner une médaille.

Cet homme marchait à grands pas, interrogeant du regard toutes les routes, comme pour s'assurer de la plus courte qu'il avait à suivre, pour se rendre au Gros Sault où demeurait sa famille. Enfin il est en vue de la maison paternelle ; son cœur bat violemment. Il se met à courir et en quelques instants, il a franchi le seuil de la porte qu'il ouvre brusquement et se précipite dans la maison ; mais il reste déconcerté en se trouvant face à face avec un étranger qu'il ne connaît pas. Celui-ci, surpris de cette brusque apparition, toise son visiteur de la tête aux pieds, et lui dit :

— *What business brings you here ?*

— Oh ! monsieur, pardon, je ne parle pas beaucoup l'anglais ; mais, dites-moi... non, je ne me trompe pas, c'est bien ici... où est mon père, où est ma mère ?

— *What do you say ? moi pas connaître ce que vous dire.*

— Comment, vous ne connaissez pas mon père ! Chauvin, cette terre lui appartient, où est-il ?

— *No, no, moi non connaître votre père, moi havoir acheté le farm de la sheriff.*

— Non, ce n'est pas possible, c'est mon père qui vous l'a vendue ; où demeure-t-il ?

— *No, no, goddam, vous pas d'affaire ici, moi havoir une bonne deed de la sheriff.*

Chauvin plus déconcerté que jamais sort précipitamment de la maison et court chez le plus proche voisin. C'était des gens nouvellement arrivés dans l'endroit : ils ne connaissaient pas sa famille. Il n'eut pas plus de succès aux portes voisines. En moins de quinze ans, le temps avait promené sa faux dans cet endroit ; le souvenir de l'ancien curé lui revint à l'esprit ; cet ancien ami de la famille avait aussi disparu. Le nouveau curé qui l'avait remplacé dit à Chauvin qu'il ne connaissait pas sa famille, mais qu'il avait entendu dire de ses anciens paroissiens qu'une personne de ce nom avait autrefois habité la paroisse ; mais les mauvaises affaires l'avaient forcée de se réfugier avec sa famille à la ville où il croyait qu'elle habitait encore. Ce peu de paroles dévoilèrent l'affreuse vérité à Charles ; il comprit tout : son père s'était ruiné, sa terre était vendue, et l'étranger était insolemment assis au foyer paternel ! Il n'en entendit pas davantage ; il tourne immédiatement ses pas du côté de la ville, où il arrive, la nuit déjà close ; il erre quelque temps, sans savoir de quel côté diriger ses pas ; tout à coup, il se rappelle l'auberge où plusieurs années auparavant s'était décidée sa vocation ; il y entre, se fait connaître, et demande des renseignements sur son père ; celui-ci y était connu pour venir s'y chauffer pendant la rude saison ; on lui indique à peu près le quartier où il logeait. Charles reprend sa course, et se décide enfin à frapper à la porte la plus voisine ; c'était chez le père Danis.

— Ouvrez, répondit une voix forte.

— Ah ! s'écria le père Danis en apercevant Charles, en v'là-t-il un mangeu' d'lard. Regarde donc, Marianne, voilà comme j'étais dans mon jeune temps ; vois donc ces grands cheveux, cette ceinture, ces souliers sauvages, et cette blague à tabac. Assieds-toi, mon garçon, et dis-moi quand es-tu arrivé ?

— Cet après-midi, monsieur.

— Ah ! tu es un des voyageurs arrivés par les canots qu'on attendait ces jours-ci ?

— Oui, monsieur,

— Et tu viens te promener à la ville ?

— Non, monsieur, je suis à la cherche de ma famille que l'on m'a dit demeurer près d'ici.

— Et comment t'appelles-tu, mon garçon ?

— Charles Chauvin, monsieur, je...

— Dieu du ciel ! s'écria le père Danis en se levant brusquement de son siège, se redressant de toute sa haute taille, et en regardant Charles d'un air stupéfait.

— Hé bien ! Marianne, ne te l'ai-je pas dit souvent que Dieu était bon, et qu'il rendrait enfin ce pauvre enfant à sa mère ? — Oui, mon garçon, tu arrives bien à temps, va ; tes parents sont depuis longtemps dans la plus grande misère ; ton père a fait de mauvaises affaires, sa terre a été vendue, il a été ruiné, et il gagne misérablement sa vie ici à charroyer de l'eau ; pour comble de malheur, ton pauvre frère vient de mourir, et comme ils te croient mort aussi, tu peux juger de l'état où ils sont. — Dis-moi, mon garçon, as-tu ménagé tes gages ? apportes-tu de l'argent avec toi ?

— Oui, monsieur ; mes gages me sont presque tous dus par la compagnie, et je les retirerai quand je voudrai.

— Ah ! c'est bien, mon garçon, tu es un bon fils ; viens-ci que je t'embrasse.

Et le père Danis serra Charles contre son cœur.

— Allons, mon garçon, tu es bien fatigué, repose-toi un peu, et prends quelque chose.

— Merci, monsieur, j'ai hâte de revoir mon père.

— Hé bien! mon garçon, je m'en vas t'y mener; mais va doucement; parce que ça va leur faire un coup, surtout à ta pauvre mère; mais laisse-moi faire, j'entrerai le premier et j'arrangerai la chose. — Allons, Marianne, donne-moi mes béquilles.

Et tous deux sortirent.

— Ah! ça, mon garçon, ne va pas trop vite, je ne pourrai te suivre; il y a eu un temps où je t'aurais battu le chemin; mais à présent, je n'ai plus de jambes.

En parlant ainsi, ils arrivaient à la demeure de Chauvin; le père Danis ouvrit sans frapper, et entrant le premier:

— Tenez, mère Chauvin, je vous avais bien dit que tôt ou tard, vous auriez des nouvelles de votre fils; voici un voyageur qui arrive et qui va vous en donner.

Charles promena ses regards sur un homme déjà âgé et sur deux femmes, dont la misère et la souffrance avaient tellement altéré les traits qu'il ne les reconnut point. Charles qui les avait quittés, à peine sorti de l'adolescence, et qui revenait homme fait, n'en put être reconnu à son tour.

— Ah! monsieur, dit la mère en s'adressant à Charles, m'apportez-vous des nouvelles de mon cher fils?

À ce ton de voix bien connu, Charles avait reconnu sa mère, il voulait répondre; son cœur se gonfla, sa langue resta muette, il demeura immobile.

La mère interprétant ce silence en mauvais augure:

— Ah! père Danis, dit-elle, pourquoi ne m'avez-vous pas épargné la douleur d'apprendre moi-même de ce voyageur que mon pauvre Charles est mort?

— Mort! s'écria le père Danis; une preuve qu'il ne l'est pas, c'est que vous l'avez devant vous.

— Ma mère, maman, cria Charles en se jetant dans les bras de sa mère...

— Pauvre enfant, disait la mère d'une voix éteinte, je ne te reconnais pas... je crois pourtant que tu es mon fils... Le bon Dieu a enfin exaucé mes prières...

Pendant ces tendres embrassements, la médaille sortit de la poitrine de Charles et effleura la main de sa mère.

— Ah ! s'écria-t-elle, ma médaille... Ah ! oui, c'est mon fils... C'est mon Charles...

À peine Charles se relevait des étreintes maternelles, qu'il fut saisi à son tour par son père et Marguerite qui se l'attiraient à eux en le couvrant de baisers.

— Hé ! mon Dieu, s'écriait le père Danis, laissez-le donc un peu respirer, ce pauvre enfant.

Bientôt Marguerite s'échappant des bras de son frère, et ne se possédant plus de joie, sauta au cou du père Danis.

— Ah ! bon monsieur, c'est vous qui nous rendez mon frère, ce pauvre Charles.

— Hé ! non, non, ma fille... hé ! mon Dieu, laissez-moi donc... vous allez me jeter à terre... vous m'étouffez... Allons, je crois qu'elle veut me faire pleurer aussi...

Pendant ces scènes attendrissantes, le vieux chien Mordfort qui avait grondé sourdement en voyant cet étranger, avait bien vite flairé son ancien maître; le pauvre animal avait pardonné depuis longtemps à Charles la blessure qu'il lui avait faite en partant, et qui l'avait rendu boiteux ; et il s'était attaché à sa jambe, en poussant des hurlements de joie.

Les voisins s'étaient bien vite aperçus qu'un rayon de bonheur avait enfin pénétré sous ce toit de misères, et partageant cordialement la joie de la famille Chauvin, ils vinrent en foule la féliciter du bonheur inespéré qui venait de leur arriver.

Conclusion

Nous remettrons à un autre jour le récit des aventures de Charles, qui occupèrent les jours qui suivirent son arrivée, et que le père Danis ne manqua point de corroborer, et même de commenter, comme s'il y eût pris une part active.

Charles habitué au grand air des lacs et des forêts, étouffait dans l'étroit réduit qu'habitait sa famille. Il songea donc à s'établir à la campagne. Une occasion se présenta bientôt d'elle-même. Le nouveau propriétaire de la terre de Chauvin paya à son tour le tribut à la nature. La terre mise en vente fut achetée par Charles ; et cette famille, après quinze ans d'exil et de malheurs, rentra enfin en possession du patrimoine de ses ancêtres.

Quand le père Danis vit s'éloigner ses bons voisins, ce fut à son tour à verser des larmes. Charles en fut touché, et ayant appris que ce brave homme avait secouru sa famille dans sa détresse, il trouva place dans la ferme pour lui et pour sa vieille Marianne.

Quelques-uns de nos lecteurs auraient peut-être désiré que nous eussions donné un dénouement tragique à notre histoire ; ils auraient aimé à voir nos acteurs disparaître violemment de la scène, les uns après les autres, et notre récit se terminer dans le genre terrible, comme un grand nombre de romans du jour. Mais nous les prions de remarquer que nous écrivons dans un pays où les mœurs en général sont pures et simples, et que l'esquisse que nous avons essayé d'en faire, eût été invraisemblable et même souverainement ridicule, si elle se fût terminée par des meurtres, des empoisonnements et des suicides. Laissons aux vieux pays, que la civilisation a gâtés, leurs romans ensanglantés, peignons l'enfant du sol, tel qu'il est, religieux, honnête, paisible de mœurs et de caractère, jouissant de l'aisance et de la fortune sans orgueil et sans ostentation, supportant avec résignation et patience les plus grandes adversités; et quand il voit arriver sa dernière heure, n'ayant d'autre désir que de pouvoir mourir tranquillement sur le lit où s'est endormi son père, et d'avoir sa place près de lui au cimetière avec une modeste croix de bois, pour indiquer au passant le lieu de son repos.

Encore donc un coup de pinceau à un riant tableau de famille, et nous avons fini.

Le père Chauvin, sa femme et Marguerite recouvrèrent bientôt, à l'air pur de la campagne, leur santé affaiblie par tant d'années de souffrances et de misères. Cette famille, réintégrée dans la terre paternelle, vit renaître dans son sein la joie, l'aisance, et le bonheur qui furent encore augmentés quelque temps après par l'heureux mariage de Chauvin avec la fille d'un cultivateur des environs. Marguerite ne tarda pas à suivre le même exemple; elle trouva un parti avantageux, et alla demeurer sur une terre voisine. Le père et la mère Chauvin font déjà sauter sur leurs genoux des petits-fils bien portants. Le père Danis se charge de les endormir en leur chantant d'une voix cassée quelques anciennes chansons de voyageurs.

Nous aimons à visiter quelquefois cette brave famille, et à entendre répéter souvent au père Chauvin, que la plus grande folie que puisse faire un cultivateur, c'est de se donner à ses enfants, d'abandonner la culture de son champ, et d'emprunter aux usuriers.

Chronologie

1803	Ross Cuthbert publie à Québec *L'Aéropage,* le premier recueil de poésie.
1805	Fondation du *Mercury.*
1800	Fondation du *Canadien.*
1807	Naissance de Patrice Lacombe.
1810	Premier projet d'union entre le Haut et le Bas-Canada.
1812	Naissance de François-Réal Angers (romancier).
	Guerre entre l'Angleterre et les États-Unis.
1814	Naissance de L.-Philippe Aubert de Gaspé (fils) et de Pierre-Georges Boucher de Boucherville.
1817	Mgr Plessis est sacré officiellement évêque de Québec.
	Fondation de la Banque de Montréal.
1820	Naissance de Pierre-Joseph-Olivier Chauveau et de Charles-Joseph Taché (poète).
1822	Projet d'union des deux Canadas.
	Naissance de Joseph-Olivier Crémazie.
1824	Naissance d'Antoine Gérin-Lajoie.
1825	Recensement : population Haut-Canada : 157 923

	Bas-Canada : 479 298.
	Naissance de Joseph Doutre.
1827	Naissance de Napoléon Bourassa.
1828	Naissance du romancier Henri-Émile Chevalier.
1829	Fondation de l'université McGill.
1830	Michel Bibaud publie *Épîtres, Satires, Chansons et autres pièces en vers.*
1831	Naissance d'Henri-Raymond Casgrain.
1832	Épidémie de choléra.
1834	Ludger Duvernay fonde la Société Saint-Jean-Baptiste (Montréal).
1835	Pierre-Georges Boucher de Boucherville fait paraître dans le journal *L'Ami du Peuple* un récit canadien intitulé *La Tour de Trafalgar* et une légende, *Louise Chawinikisique.*
1837	La Révolte des Patriotes : batailles de Saint-Denis, de Saint-Charles et de Saint-Eustache.
	Le Chercheur de trésor ou L'influence d'un livre, premier roman canadien de L.-Philippe Aubert de Gaspé fils.
	Les Révélations du crime ou Cambray et ses complices, roman de François-Réal Angers.
	Publication dans *Le Télégraphe* d'*Emma ou l'amour malheureux*, récit d'Ulric-Joseph Tessier.
	Louis-Joseph-Amédée Papineau publie dans *Le Glaneur* une légende intitulée *Caroline.*
1838	Déclaration d'indépendance du Bas-Canada.
	Insurrection des « Frères Chasseurs ».
	Pendaison à Montréal de douze Patriotes.

	Durham gouverneur.
1839	*Le Canadien* publie *Le Chien d'or*, légende d'Auguste Soulard.
	Naissance de Louis-Honoré Fréchette et d'Adolphe-Basile Routhier.
1840	Parution dans *Le Fantasque* de *Une aventure au Labrador*, conte de Pierre Petitclair.
	Acte d'Union.
1841	Le roman de R. Trobriand, *Le Rebelle*, est publié dans *Le Courrier des États-Unis*.
	Mort de L.-Philippe Aubert de Gaspé (fils).
1844	*Les Fiancés de 1812*, roman de Joseph Doutre.
	Naissance de Joseph-Étienne-Eugène Marmette.
	Fondation de l'Institut canadien de Montréal.
	P.-J.-O. Chauveau est élu député du comté de Québec et président de la Société historique et littéraire de Québec.
1845	*La Revue Canadienne* publie deux contes de Jean-Casimir-Alphonse Poitras *(Histoire de mon oncle* et *Bal de faubourg)* et une légende de Louis-Auguste Olivier *(Le Débiteur fidèle)*.
1846	Publication, dans *L'Album littéraire et musical de la Revue canadienne*, du roman de Pierre-Joseph-Olivier Chauveau, *Charles Guérin*, et de celui de Patrice Lacombe, *La Terre paternelle*.
1847	Épidémie de typhus et de choléra.
	Arrivée de plusieurs congrégations religieuses.

1848	Louis-Thomas Groulx, *Mes Loisirs, Publication mensuelle en vers.*
1848-1850	*Le Répertoire National.*
1849	Loi d'indemnité aux sinistrés de 1837. Incendie du Parlement à Montréal.
1850	Naissance de deux poètes : Nérée Beauchemin et William Chapman.
1851	Recensement : population Haut-Canada : 952 004 Bas-Canada : 850 201
1852	Fondation de l'Université Laval.
1853	Publication du récit *Les Deux Anneaux* de J. Phelan.
1854	A. Marsais publie à Québec un recueil de poésie, *Romances et Chansons.* Henri-Émile Chevalier publie *La Huronne* dans *La Ruche littéraire.*
1855	P.-J.-O. Chauveau est nommé surintendant de l'Instruction publique pour le Bas-Canada.
1857	P.-P. Denis : *Poésies sur la mort de François-Xavier Milton... et sur l'incendie de Montréal en 1852.* P. Stevens : *Fables.* Joseph-Olivier Crémazie : *Le drapeau de Carillon. Hommage aux abonnés du journal de Québec* (1er janvier 1857). L.-J.-C. Fiset, *Les voix du passé...* (vers dédiés à L.-J. Baillargé).
1858	Henri-Émile Chevalier publie à Montréal son deuxième roman, *L'Héroïne de Châteauguay.*
1859	Troisième roman d'H.-É. Chevalier, *Le Pirate de Saint-Laurent.*

1860	J.-O. Crémazie : *Hommages aux abonnés du journal de Québec* (1er janvier 1860). L.-T. Groulx : *Épître à Son Altesse Royale le Prince de Galles.* E. D'Orsonnens : *Une apparition* (roman).
1861	J.-O. Crémazie : *Castelfidardo* (1er janvier 1871) aux abonnés du *Journal de Québec.* L.-J.-C. Fiset : *Jude et Grazia ou les malheurs de l'émigration canadienne.*
1862	*La Huronne*, roman de Chevalier, est publié à Paris. Antoine Gérin-Lajoie fait paraître, dans *Les Soirées canadiennes, Jean Rivard, le défricheur canadien.* Crémazie publie à Québec un recueil poétique, *Promenade de trois morts.*
1863	Le 6 juillet : mort de Patrice Lacombe. Parution du roman de Philippe Aubert de Gaspé père, *Les anciens Canadiens.* Louis-Honoré Fréchette publie *Mes loisirs* (poésie).

Bibliographie

Éditions de *La Terre paternelle*

1846 — Dans *L'Album littéraire et musical de la Revue canadienne,* vol. III, 1846, p. 14-25.
Le roman est publié sans signature.

1848 — Dans *Le Répertoire National* (compilation de James Huston), vol. III, 1850, p. 342-382.

1853 — Dans *Légendes canadiennes,* recueillies par J. Huston, p. 258-303.

1871 — *La Terre paternelle,* par Patrice Lacombe, Montréal, C. O. Beauchemin et Valois, 1871, 80 p.

1877 — *La Terre paternelle,* Patrice Lacombe, Québec, Imprimerie A. Côté et cie, 1877, 187 p.
(outre le roman, le volume contient: «Le Chien d'or» d'Auguste Soulard, «Petites Corrections et Addenda à un article du *Canadien* du 20 novembre 1839» de J. Viger et «L'Île Saint-Barnabé» de J.-C. Taché).

1878 — En feuilleton dans *Le Foyer domestique,* 3e année, vol. V, nos 18-22, 2-30 mai 1878.

	(sans date) *La Terre paternelle*, par Patrice Lacombe, Montréal, Beauchemin et Valois, 80 p.
1892	En feuilleton dans *Le Monde illustré canadien*, vol. IX, nos 428-435, 16 juillet-3 septembre 1892.
1893	Dans *Le Répertoire National* (compilation de James Huston), vol. III, 1893, p. 357-397.
1912	*La Terre paternelle*, Patrice Lacombe, nouvelle édition, Montréal, Librairie Beauchemin, 1912, 140 p. (outre le roman, le volume contient: «Le Chien d'or» et «L'Île Saint-Barnabé»).
1924	*La Terre paternelle*, Patrice Lacombe, nouvelle édition, Montréal, Librairie Beauchemin, 1924, 122 p. (outre le roman, le volume contient: «Le Chien d'or» et «L'Île Saint-Barnabé».)

Sources bibliographiques

David M. Hayne et Marcel Tirol, *Bibliographie critique du roman canadien-français, 1837-1900*, Québec, PUL, 1969, p. 95-97.

N.B. Dans sa bibliographie, M. Hayne précise que «le manuscrit de *La Terre paternelle* a été retrouvé tout récemment aux archives judiciaires de Montréal par M. Réginald Hamel» (p. 96). Ce renseignement est partiellement faux. Il ne s'agit pas du manuscrit, mais plutôt d'un acte notarié qui, sans aucun doute possible, a servi de canevas pour la rédaction du roman.

Études

BAILLARGEON, Samuel, *Littérature canadienne-française*, Montréal, Fides, 1957, p. 52-53.

DANDURAND, Abbé A., *Le Roman canadien-français*, Montréal, Albert Lévesque, 1937, p. 29-37.

DUMOND, G.-A., «Études historiques» (Joseph Patrice Lacombe), *Le Monde illustré canadien*, vol. IX, 1892, p. 222.

HAYNE, David-M., «Les origines du roman canadien-français», *Le Roman canadien-français, Évolution-Témoignages-Bibliographie*, Archives des lettres canadiennes, t. III, Université d'Ottawa, Fides, 1964, p. 55-57.

HAYNE, David-M. et Marcel TIROL, *Bibliographie critique du roman canadien-français, 1837-1900*, Québec, PUL, 1969, p. 95-97.

LAMONTAGNE, Léopold, «Les Courants idéologiques dans la littérature canadienne-française du XIXe siècle», dans *Littérature et société canadiennes-françaises*, PUL, Québec, 1964, p. 101-119.

LAUZIÈRE, Arsène, «Les débuts du roman (1830-1860)», dans *Histoire de la littérature française du Québec*, Montréal, Beauchemin, 1967, p. 178-184.

LESSARD, Richard, «Patrice Lacombe, auteur de *La Terre paternelle*», dans *Le Bulletin des recherches historiques*, vol. XLVI, 1940, p. 180.

«Nécrologie» (Patrice Lacombe), *Le Journal de Québec*, vol. XXI, nº 70 corrigé à 80, 9 juillet 1863, p. 2.

«Nécrologie» (Patrice Lacombe), *La Minerve*, vol. XXV, nº 119, 7 juillet 1863, p. 2.

«Petite Revue mensuelle», *Journal de l'instruction publique*, vol. VII, 1863, p. 121-122 (nécrologie).

ROBIDOUX, Réjean, «Fortunes et infortunes de l'abbé Casgrain», *Revue de l'Université d'Ottawa*, vol. XXXI, 1961, (Archives des lettres canadiennes, t. I), p. 209-229.

ROY, Joseph-Edmond, *Histoire du notariat au Canada depuis la fondation de la colonie jusqu'à nos jours*, Lévis, *La revue du notariat*, 1899-1902, t. III, p. 85-87 (reproduit dans *Le Bulletin des recherches historiques*, vol. XXXII, 1926, p. 116-118.

VIATTE, Auguste, *Histoire littéraire de l'Amérique française des origines à 1950*, Québec, PUL, 1954, p. 79-80.

Table des matières

Parus dans la
Bibliothèque québécoise

Jean-Pierre April
CHOCS BAROQUES

Hubert Aquin
JOURNAL 1948-1971

Philippe Aubert de Gaspé
LES ANCIENS CANADIENS

Noël Audet
QUAND LA VOILE FASEILLE

Honoré Beaugrand
LA CHASSE-GALERIE

Blais, Marie-Claire
L'EXILÉ suivi de
LES VOYAGEURS SACRÉS

Jacques Brossard
LE MÉTAMORFAUX

Nicole Brossard
À TOUT REGARD

André Carpentier
L'AIGLE VOLERA À TRAVERS LE SOLEIL
RUE SAINT-DENIS

Denys Chabot
L'ELDORADO DANS LES GLACES

Robert Choquette
LE SORCIER D'ANTICOSTI

Laure Conan
ANGÉLINE DE MONTBRUN

Jacques Cotnam
POÈTES DU QUÉBEC

Maurice Cusson
DÉLINQUANTS, POURQUOI?

Léo-Paul Desrosiers
LES ENGAGÉS DU GRAND PORTAGE

Pierre Des Ruisseaux
DICTIONNAIRE DES EXPRESSIONS QUÉBÉCOISES

Georges Dor
POÈMES ET CHANSONS D'AMOUR ET D'AUTRE CHOSE

Madeleine Ferron
CŒUR DE SUCRE

Guy Frégault
LA CIVILISATION DE LA NOUVELLE-FRANCE 1713-1744

Jacques Garneau
LA MORNIFLE

Rodolphe Girard
MARIE CALUMET

André Giroux
AU-DELÀ DES VISAGES

Jean-Cléo Godin et Laurent Mailhot
THÉÂTRE QUÉBÉCOIS (2 tomes)

Lionel Groulx
NOTRE GRANDE AVENTURE

Germaine Guèvremont
LE SURVENANT
MARIE-DIDACE

Anne Hébert
LE TORRENT
LE TEMPS SAUVAGE suivi de
LA MERCIÈRE ASSASSINÉE et de
LES INVITÉS AU PROCÈS

Louis Hémon
MARIA CHAPDELAINE

Suzanne Jacob
LA SURVIE

Claude Jasmin
LA SABLIÈRE - MARIO

Félix Leclerc
ADAGIO
ALLEGRO
ANDANTE
LE CALEPIN D'UN FLÂNEUR
CENT CHANSONS
DIALOGUES D'HOMMES ET DE BÊTES
LE FOU DE L'ÎLE
LE HAMAC DANS LES VOILES
MOI, MES SOULIERS
PIEDS NUS DANS L'AUBE
LE P'TIT BONHEUR
SONNEZ LES MATINES

Michel Lord
ANTHOLOGIE DE LA SCIENCE-FICTION
QUÉBÉCOISE CONTEMPORAINE

Hugh MacLennan
DEUX SOLITUDES

Antonine Maillet
PÉLAGIE-LA-CHARRETTE
LA SAGOUINE

André Major
L'HIVER AU CŒUR

Guylaine Massoutre
ITINÉRAIRES D'HUBERT AQUIN

Émile Nelligan
POÉSIES COMPLÈTES
Nouvelle édition refondue et révisée

Jacques Poulin
LES GRANDES MARÉES
FAITES DE BEAUX RÊVES

Marie Provost
DES PLANTES QUI GUÉRISSENT

Jean Royer
INTRODUCTION À LA POÉSIE QUÉBÉCOISE

Gabriel Sagard
LE GRAND VOYAGE DU PAYS DES HURONS

Fernande Saint-Martin
FONDEMENTS TOPOLOGIQUES DE LA PEINTURE
STRUCTURES DE L'ESPACE PICTURAL

Félix-Antoine Savard
MENAUD, MAÎTRE DRAVEUR

Jacques T.
DE L'ALCOOLISME À LA PAIX ET À LA SÉRÉNITÉ

Jules-Paul Tardivel
POUR LA PATRIE

Yves Thériault
L'APPELANTE
ASHINI
KESTEN
MOI, PIERRE HUNEAU

Michel Tremblay
LE CŒUR DÉCOUVERT
DES NOUVELLES D'ÉDOUARD
LA DUCHESSE ET LE ROTURIER
LA GROSSE FEMME D'À CÔTÉ EST ENCEINTE
THÉRÈSE ET PIERRETTE À L'ÉCOLE DES SAINTS-ANGES

Pierre Turgeon
LA PREMIÈRE PERSONNE
UN, DEUX, TROIS

Achevé d'imprimer
en avril 1993 sur les presses
des Ateliers Graphiques Marc Veilleux Inc.
Cap-Saint-Ignace (Québec).